اعتماد الأزهر الشريف صحة تطبيق منهج التلوين في مصحف التجويد.

بسم الله الرحمن الرحيم

الأزهر
مجمع البحوث الاسلامية
الادارة العامة
للبحوث والتأليف والترجمة

AL-AZHAR
ISLAMIC RESEARCH ACADEMY
GENERAL DEPARTMENT
For Research, Writing & Translation

السيد/ صبحي طه ـ المدير العام ـ لدار المعرفة
سورية ـ دمشق

السلام عليكم ورحمة الله وبركاته ..... وبعد :

فإشارة إلى الطلب المقدم من سيادتكم بشأن فحص ومراجعة مصحف التجويد (دار المعرفة " ورتل القرا ن ترتيلا " ومعرض المصحف المذكور على لجنة مراجعة المصاحف ..

افادت الآتي :

ـ بفحص ومراجعة مصحف التجويد " ورتل القرآن ترتيلا " والخاص بدار المعرفة تبين أنه صحيح في جوهر الرسم العثماني وأن المنهج الذي اعتمدته الدار الناشرة قد طبق تطبيقا صحيحا وذلك بعد التثبت من الفقرات المدونة في آخر المصحف والذي يبين فيها الناشر كل مايتعلق بتطبيق فكرة التلوين .

ـ لذا ترى اللجنة السماح بنشر مصحف التجويد " ورتل القران ترتيلا " الخاص بدار المعرفة وتداوله على ان تراع الدقة التامة في عمليات الطبع والنشر حفاظا على كتاب الله من التحريف كما جاء بتقريرها بتاريخ ١/٩/١٩٩٩م والمعتمد من فضيلة الامين العام لمجمع البحوث الاسلامية بتاريخ ٦/٩/١٩٩٩م .

والسلام عليكم ورحمة الله وبركاته

٢٨/٥/١٤٢٠هـ
٨/٩/١٩٩٩م

مدير عام
البحوث والتأليف والترجمة

الأزهر
مجمع البحوث الاسلامية
الادارة العامة
للبحوث والتأليف والترجمة

AL-AZHAR
ISLAMIC RESEARCH ACADEMY
GENERAL DEPARTMENT
For Research, Writing & Translation

تقرير

عن مصحف التجويد والملتزم بطبعه دار المعرفة " ورتل القرآن ترتيلا "
بدمشق ـ سورية

الحمد لله رب العالمين والصلاة والسلام على أشرف المرسلين سيدنا محمد وعلى آله وصحبه أجمعين . وبعد فقد اطلعت لجنة مراجعة المصاحف على المصحف المذكور آنفا فوجدته سليما من ناحية الرسم والضبط . وأن فكرة الترميز الزمني واللوني الذي اعتمدته دار المعرفة فكرة مبتكرة وجيدة ولا تتنافى مع الرسم والضبط كما أنها تساعد القارئ على فهم أحكام التجويد وتطبيقه من خلال الرموز التي وضعت أسفل كل صفحة (وإن كل هذا الأمر لا يغني عن تلقي القارئ القراءة على يد معلم وسماعه مشافهة منه) وتشهد اللجنة أن دار المعرفة قد طبقت فكرتها تطبيقا صحيحا لا خلل فيه .

.... وتوصي اللجنة بأن لا يوجد أكثر من مصحف يعرض فيه الترميز اللوني من خلاله دلالته على الأحكام التجويدية . كما توصي اللجنة أيضا بضرورة إغلاق هذا الباب نهائيا وعدم عرضه عليها مرة أخرى .

هذا وصلى الله على سيدنا محمد وعلى آله وصحبه وسلم

أعضاء اللجنة | نائب رئيس اللجنة | رئيس اللجنة

القرآن الكريم

مصحف التجويد

رواية حفص عن عاصم

خطَّ حروف كلماته بالرسم العثماني الخطاط عثمان طه

جوَّد حروفه الدكتور المهندس صبحي طه بموجب براءة اختراع رسمية

للترميز الزمني واللوني برقم ٤٤٧٤ تاريخ ١٩٩٤/٥/٣١ وللفراغ الوقفي الاختياري برقم ٥٢٧٤ تاريخ ٢٠٠٣/٦/٣

شهادة ايداع حماية الملكية الفكرية رقم ٢ لعام ٢٠٠٣ (مصحف التجويد)

يُمكنك الاستماع لتجويد لوحة سورة عَبَسَ النموذجيةَ لهذا المصحف من خلال هذا الـ QR

حازتْ شرفَ إصدارها
تأسيساً على نسخة مأذونة أصول لأمن القرآن الشامية
دار المعرفة

حقوق فكرة وتنفيذ مصحف التجويد (الواضح)، مسجلة رسمياً في مديرية حماية حقوق المؤلف بوزارة الثقافة – سوريا بشهادة إيداع رقم ١٢٥٩ تاريخ ٢٠٠٧/٤/٢٢

شهادة امتياز الجودة برقم ١٠١٥ تاريخ ٢٠١٣/١٢/٢٨ مـن هيئـة البـورد العربي الأوربي الأمريكـي ومـنح الدكتـور صبحي طه لقب (المخترع العالمي)	حازت على جائزة رأس الخيمة للقرآن الكريم الإمارات عام ٢٠٠٨	حازت على جائزة تاج الجودة العالمية لندن عام ٢٠٠٣

سوريا – دمشق – ص.ب 30268 هاتف 2210269 فاكس 2241615 – 963 11+
البريد الإلكتروني E-mail: info@easyquran.com Website: easyquran.com

f (Arabic): facebook.com/easyquran   f (English): facebook.com/easyquran.en

twitter.com/SubhiTaha   youtube.com/daralmaarifah

الرقم التسلسلي المعياري الدولي   ISBN 978-9933-423-10-0   QR

طبعة 1444 هـ   مطبعة الإثراء - لبنان

ترتيبها ١ — سُورَةُ الفَاتِحَةِ — آياتها ٧

سُورَةُ الفَاتِحَةِ

بِسۡمِ ٱللَّهِ ٱلرَّحۡمَٰنِ ٱلرَّحِيمِ ١

ٱلۡحَمۡدُ لِلَّهِ رَبِّ ٱلۡعَٰلَمِينَ ٢ ٱلرَّحۡمَٰنِ
ٱلرَّحِيمِ ٣ مَٰلِكِ يَوۡمِ ٱلدِّينِ ٤
إِيَّاكَ نَعۡبُدُ وَإِيَّاكَ نَسۡتَعِينُ ٥
ٱهۡدِنَا ٱلصِّرَٰطَ ٱلۡمُسۡتَقِيمَ ٦ صِرَٰطَ
ٱلَّذِينَ أَنۡعَمۡتَ عَلَيۡهِمۡ غَيۡرِ ٱلۡمَغۡضُوبِ
عَلَيۡهِمۡ وَلَا ٱلضَّآلِّينَ ٧

مدّ ٦ حركات لزومًا ● مدّ ٢ أو ٤ أو ٦ جوازًا	إخفاء، ومواقع الغُنَّة (حركتان)	تفخيم
مدّ واجب ٤ أو ٥ حركات ● مدّ حركتان	إدغام، وما لا يلفظ	قلقلة

■ رَبِّ ٱلۡعَٰلَمِينَ: مُرَبِّيهم ومَالِكِهِمْ وَمُدَبِّرِ أُمُورِهِم ■ يَوۡمِ ٱلدِّينِ: يَوْمِ الْجَزَاءِ
■ ٱلصِّرَٰطَ ٱلۡمُسۡتَقِيمَ: الطَّرِيقَ الَّذِي لا اعوِجَاجَ فِيهِ

سُورَةُ المُجَادِلَة

ترتيبها ٥٨ — آياتها ٢٢

بِسۡمِ ٱللَّهِ ٱلرَّحۡمَٰنِ ٱلرَّحِيمِ

قَدۡ سَمِعَ ٱللَّهُ قَوۡلَ ٱلَّتِي تُجَٰدِلُكَ فِي زَوۡجِهَا وَتَشۡتَكِيٓ إِلَى ٱللَّهِ
وَٱللَّهُ يَسۡمَعُ تَحَاوُرَكُمَآۚ إِنَّ ٱللَّهَ سَمِيعُۢ بَصِيرٌ ١ ٱلَّذِينَ يُظَٰهِرُونَ
مِنكُم مِّن نِّسَآئِهِم مَّا هُنَّ أُمَّهَٰتِهِمۡۖ إِنۡ أُمَّهَٰتُهُمۡ إِلَّا ٱلَّٰٓـِٔي
وَلَدۡنَهُمۡۚ وَإِنَّهُمۡ لَيَقُولُونَ مُنكَرٗا مِّنَ ٱلۡقَوۡلِ وَزُورٗاۚ وَإِنَّ
ٱللَّهَ لَعَفُوٌّ غَفُورٞ ٢ وَٱلَّذِينَ يُظَٰهِرُونَ مِن نِّسَآئِهِمۡ ثُمَّ يَعُودُونَ
لِمَا قَالُواْ فَتَحۡرِيرُ رَقَبَةٖ مِّن قَبۡلِ أَن يَتَمَآسَّاۚ ذَٰلِكُمۡ تُوعَظُونَ
بِهِۦۚ وَٱللَّهُ بِمَا تَعۡمَلُونَ خَبِيرٞ ٣ فَمَن لَّمۡ يَجِدۡ فَصِيَامُ شَهۡرَيۡنِ
مُتَتَابِعَيۡنِ مِن قَبۡلِ أَن يَتَمَآسَّاۖ فَمَن لَّمۡ يَسۡتَطِعۡ فَإِطۡعَامُ سِتِّينَ
مِسۡكِينٗاۚ ذَٰلِكَ لِتُؤۡمِنُواْ بِٱللَّهِ وَرَسُولِهِۦۚ وَتِلۡكَ حُدُودُ ٱللَّهِۗ
وَلِلۡكَٰفِرِينَ عَذَابٌ أَلِيمٌ ٤ إِنَّ ٱلَّذِينَ يُحَآدُّونَ ٱللَّهَ وَرَسُولَهُۥ كُبِتُواْ
كَمَا كُبِتَ ٱلَّذِينَ مِن قَبۡلِهِمۡۚ وَقَدۡ أَنزَلۡنَآ ءَايَٰتِۢ بَيِّنَٰتٖۚ وَلِلۡكَٰفِرِينَ
عَذَابٞ مُّهِينٞ ٥ يَوۡمَ يَبۡعَثُهُمُ ٱللَّهُ جَمِيعٗا فَيُنَبِّئُهُم بِمَا
عَمِلُوٓاْۚ أَحۡصَىٰهُ ٱللَّهُ وَنَسُوهُۚ وَٱللَّهُ عَلَىٰ كُلِّ شَيۡءٖ شَهِيدٌ ٦

الجزء ٢٨ — الحزب ٥٥

- **تُجَٰدِلُكَ**: تُحاوِرُكَ وتُراجِعُكَ
- **تَحَاوُرَكُمَآ**: مُراجَعَتَكُما القَوْلَ
- **يُظَٰهِرُونَ**: يُحرِّمُونَ نساءَهُم تحريمَ أُمَّهاتِهِمْ
- **مُنكَرٗا مِّنَ ٱلۡقَوۡلِ**: لا يُعْرَفُ في الشَّرعِ
- **زُورٗا**: كَذِباً مُنْحَرِفاً عن الحقِّ
- **يَتَمَآسَّا**: يَسْتَمْتِعا بالْوِقاعِ ، أوْ دَواعِيهِ

المجادلة

- **يُحَآدُّونَ . . .**: يُعادونَ وَ يُشاقُّونَ . . .
- **كُبِتُواْ**: أُذِلُّوا وَأُهْلِكوا
- **أَحۡصَىٰهُ ٱللَّهُ**: أَحاطَ بِهِ عِلْماً

مدّ ٦ حركات لزوماً — مدّ ٢ أو ٤ أو ٦ جوازاً	إخفاء ، ومواقع الغُنَّة (حركتان)	تفخيم
مدّ واجب ٤ أو ٥ حركات — مدّ حركتان	إدغام ، وما لا يُلفَظ	قلقلة

أَلَمۡ تَرَ أَنَّ ٱللَّهَ يَعۡلَمُ مَا فِي ٱلسَّمَٰوَٰتِ وَمَا فِي ٱلۡأَرۡضِۖ مَا يَكُونُ
مِن نَّجۡوَىٰ ثَلَٰثَةٍ إِلَّا هُوَ رَابِعُهُمۡ وَلَا خَمۡسَةٍ إِلَّا هُوَ سَادِسُهُمۡ
وَلَآ أَدۡنَىٰ مِن ذَٰلِكَ وَلَآ أَكۡثَرَ إِلَّا هُوَ مَعَهُمۡ أَيۡنَ مَا كَانُواْۖ ثُمَّ يُنَبِّئُهُم
بِمَا عَمِلُواْ يَوۡمَ ٱلۡقِيَٰمَةِۚ إِنَّ ٱللَّهَ بِكُلِّ شَيۡءٍ عَلِيمٌ ﴿٧﴾ أَلَمۡ تَرَ إِلَى ٱلَّذِينَ
نُهُواْ عَنِ ٱلنَّجۡوَىٰ ثُمَّ يَعُودُونَ لِمَا نُهُواْ عَنۡهُ وَيَتَنَٰجَوۡنَ بِٱلۡإِثۡمِ
وَٱلۡعُدۡوَٰنِ وَمَعۡصِيَتِ ٱلرَّسُولِ وَإِذَا جَآءُوكَ حَيَّوۡكَ بِمَا لَمۡ يُحَيِّكَ
بِهِ ٱللَّهُ وَيَقُولُونَ فِيٓ أَنفُسِهِمۡ لَوۡلَا يُعَذِّبُنَا ٱللَّهُ بِمَا نَقُولُۚ حَسۡبُهُمۡ
جَهَنَّمُ يَصۡلَوۡنَهَاۖ فَبِئۡسَ ٱلۡمَصِيرُ ﴿٨﴾ يَٰٓأَيُّهَا ٱلَّذِينَ ءَامَنُوٓاْ إِذَا
تَنَٰجَيۡتُمۡ فَلَا تَتَنَٰجَوۡاْ بِٱلۡإِثۡمِ وَٱلۡعُدۡوَٰنِ وَمَعۡصِيَتِ ٱلرَّسُولِ وَتَنَٰجَوۡاْ
بِٱلۡبِرِّ وَٱلتَّقۡوَىٰۖ وَٱتَّقُواْ ٱللَّهَ ٱلَّذِيٓ إِلَيۡهِ تُحۡشَرُونَ ﴿٩﴾ إِنَّمَا ٱلنَّجۡوَىٰ
مِنَ ٱلشَّيۡطَٰنِ لِيَحۡزُنَ ٱلَّذِينَ ءَامَنُواْ وَلَيۡسَ بِضَآرِّهِمۡ شَيۡـًٔا
إِلَّا بِإِذۡنِ ٱللَّهِۚ وَعَلَى ٱللَّهِ فَلۡيَتَوَكَّلِ ٱلۡمُؤۡمِنُونَ ﴿١٠﴾ يَٰٓأَيُّهَا ٱلَّذِينَ
ءَامَنُوٓاْ إِذَا قِيلَ لَكُمۡ تَفَسَّحُواْ فِي ٱلۡمَجَٰلِسِ فَٱفۡسَحُواْ يَفۡسَحِ
ٱللَّهُ لَكُمۡۖ وَإِذَا قِيلَ ٱنشُزُواْ فَٱنشُزُواْ يَرۡفَعِ ٱللَّهُ ٱلَّذِينَ ءَامَنُواْ
مِنكُمۡ وَٱلَّذِينَ أُوتُواْ ٱلۡعِلۡمَ دَرَجَٰتٖۚ وَٱللَّهُ بِمَا تَعۡمَلُونَ خَبِيرٞ ﴿١١﴾

- **نَجۡوَىٰ ثَلَٰثَةٍ**: تناجيهم ومُسارّتهم
- **لَوۡلَا يُعَذِّبُنَا**: هلّا يعذّبنا
- **حَسۡبُهُمۡ جَهَنَّمُ**: كافيهم جهنّمُ عذاباً
- **يَصۡلَوۡنَهَا**: يدخلونها أو يُقاسون حرّها
- **لِيَحۡزُنَ**: ليُوقع في الهمّ الشديد
- **تَفَسَّحُواْ فِي ٱلۡمَجَٰلِسِ**: توسّعوا فيها ولا تضامّوا
- **ٱنشُزُواْ**: انهضوا للتّوسعة لإخوانكم

مدّ ٦ حركات لزوماً ● مدّ ٢ أو ٤ أو ٦ جوازاً	إخفاء، ومواقع الغُنّة (حركتان)	تفخيم
مدّ واجب ٤ أو ٥ حركات ● مدّ حركتان	إدغام، وما لا يُلفَظ	قلقلة

يَٰٓأَيُّهَا ٱلَّذِينَ ءَامَنُوٓاْ إِذَا نَٰجَيۡتُمُ ٱلرَّسُولَ فَقَدِّمُواْ بَيۡنَ يَدَيۡ نَجۡوَىٰكُمۡ
صَدَقَةٗۚ ذَٰلِكَ خَيۡرٞ لَّكُمۡ وَأَطۡهَرُۚ فَإِن لَّمۡ تَجِدُواْ فَإِنَّ ٱللَّهَ غَفُورٞ رَّحِيمٌ
﴿١٢﴾ ءَأَشۡفَقۡتُمۡ أَن تُقَدِّمُواْ بَيۡنَ يَدَيۡ نَجۡوَىٰكُمۡ صَدَقَٰتٖۚ فَإِذۡ لَمۡ تَفۡعَلُواْ
وَتَابَ ٱللَّهُ عَلَيۡكُمۡ فَأَقِيمُواْ ٱلصَّلَوٰةَ وَءَاتُواْ ٱلزَّكَوٰةَ وَأَطِيعُواْ ٱللَّهَ
وَرَسُولَهُۥۚ وَٱللَّهُ خَبِيرُۢ بِمَا تَعۡمَلُونَ ﴿١٣﴾ ۞ أَلَمۡ تَرَ إِلَى ٱلَّذِينَ تَوَلَّوۡاْ قَوۡمًا
غَضِبَ ٱللَّهُ عَلَيۡهِم مَّا هُم مِّنكُمۡ وَلَا مِنۡهُمۡ وَيَحۡلِفُونَ عَلَى ٱلۡكَذِبِ
وَهُمۡ يَعۡلَمُونَ ﴿١٤﴾ أَعَدَّ ٱللَّهُ لَهُمۡ عَذَابٗا شَدِيدًاۖ إِنَّهُمۡ سَآءَ مَا كَانُواْ
يَعۡمَلُونَ ﴿١٥﴾ ٱتَّخَذُوٓاْ أَيۡمَٰنَهُمۡ جُنَّةٗ فَصَدُّواْ عَن سَبِيلِ ٱللَّهِ فَلَهُمۡ
عَذَابٞ مُّهِينٞ ﴿١٦﴾ لَّن تُغۡنِيَ عَنۡهُمۡ أَمۡوَٰلُهُمۡ وَلَآ أَوۡلَٰدُهُم مِّنَ ٱللَّهِ
شَيۡـًٔاۚ أُوْلَٰٓئِكَ أَصۡحَٰبُ ٱلنَّارِۖ هُمۡ فِيهَا خَٰلِدُونَ ﴿١٧﴾ يَوۡمَ يَبۡعَثُهُمُ
ٱللَّهُ جَمِيعٗا فَيَحۡلِفُونَ لَهُۥ كَمَا يَحۡلِفُونَ لَكُمۡۖ وَيَحۡسَبُونَ أَنَّهُمۡ عَلَىٰ شَيۡءٍۚ أَلَآ
إِنَّهُمۡ هُمُ ٱلۡكَٰذِبُونَ ﴿١٨﴾ ٱسۡتَحۡوَذَ عَلَيۡهِمُ ٱلشَّيۡطَٰنُ فَأَنسَىٰهُمۡ ذِكۡرَ
ٱللَّهِۚ أُوْلَٰٓئِكَ حِزۡبُ ٱلشَّيۡطَٰنِۚ أَلَآ إِنَّ حِزۡبَ ٱلشَّيۡطَٰنِ هُمُ ٱلۡخَٰسِرُونَ
﴿١٩﴾ إِنَّ ٱلَّذِينَ يُحَآدُّونَ ٱللَّهَ وَرَسُولَهُۥٓ أُوْلَٰٓئِكَ فِي ٱلۡأَذَلِّينَ ﴿٢٠﴾
كَتَبَ ٱللَّهُ لَأَغۡلِبَنَّ أَنَا۠ وَرُسُلِيٓۚ إِنَّ ٱللَّهَ قَوِيٌّ عَزِيزٞ ﴿٢١﴾

- ءَأَشۡفَقۡتُمۡ: أخفتم الفقر

ربع الحزب ٥٥

- تَوَلَّوۡاْ قَوۡمًا: اتّخذوهم أولياء
- غَضِبَ ٱللَّهُ عَلَيۡهِم: هم اليهود
- جُنَّةٗ: وقايةً لأنفسهم وأموالهم
- لَّن تُغۡنِيَ: لن تدفع
- ٱسۡتَحۡوَذَ: استولى وغلب
- ٱلۡأَذَلِّينَ: الزّائدين في الذلّة والهوان

المجادلة

مدّ ٦ حركات لزوماً	مدّ ٢ أو ٤ أو ٦ جوازاً	إخفاء ، ومواقع الغُنَّة (حركتان)	تفخيم
مدّ واجب ٤ أو ٥ حركات	مدّ حركتان	إدغام ، وما لا يُلفَظ	قلقلة

لَا تَجِدُ قَوْمًا يُؤْمِنُونَ بِٱللَّهِ وَٱلْيَوْمِ ٱلْـَٔاخِرِ يُوَآدُّونَ مَنْ
حَآدَّ ٱللَّهَ وَرَسُولَهُۥ وَلَوْ كَانُوٓا۟ ءَابَآءَهُمْ أَوْ أَبْنَآءَهُمْ
أَوْ إِخْوَٰنَهُمْ أَوْ عَشِيرَتَهُمْ ۚ أُو۟لَـٰٓئِكَ كَتَبَ فِى قُلُوبِهِمُ
ٱلْإِيمَـٰنَ وَأَيَّدَهُم بِرُوحٍ مِّنْهُ ۖ وَيُدْخِلُهُمْ جَنَّـٰتٍ تَجْرِى
مِن تَحْتِهَا ٱلْأَنْهَـٰرُ خَـٰلِدِينَ فِيهَا ۚ رَضِىَ ٱللَّهُ عَنْهُمْ وَرَضُوا۟
عَنْهُ ۚ أُو۟لَـٰٓئِكَ حِزْبُ ٱللَّهِ ۚ أَلَآ إِنَّ حِزْبَ ٱللَّهِ هُمُ ٱلْمُفْلِحُونَ ﴿٢٢﴾

سُورَةُ الحَشْرِ

ترتيبها ٥٩ — آياتها ٢٤

بِسْمِ ٱللَّهِ ٱلرَّحْمَـٰنِ ٱلرَّحِيمِ

سَبَّحَ لِلَّهِ مَا فِى ٱلسَّمَـٰوَٰتِ وَمَا فِى ٱلْأَرْضِ ۖ وَهُوَ ٱلْعَزِيزُ ٱلْحَكِيمُ
﴿١﴾ هُوَ ٱلَّذِىٓ أَخْرَجَ ٱلَّذِينَ كَفَرُوا۟ مِنْ أَهْلِ ٱلْكِتَـٰبِ مِن دِيَـٰرِهِمْ
لِأَوَّلِ ٱلْحَشْرِ ۚ مَا ظَنَنتُمْ أَن يَخْرُجُوا۟ ۖ وَظَنُّوٓا۟ أَنَّهُم مَّانِعَتُهُمْ
حُصُونُهُم مِّنَ ٱللَّهِ فَأَتَىٰهُمُ ٱللَّهُ مِنْ حَيْثُ لَمْ يَحْتَسِبُوا۟ ۖ وَقَذَفَ
فِى قُلُوبِهِمُ ٱلرُّعْبَ ۚ يُخْرِبُونَ بُيُوتَهُم بِأَيْدِيهِمْ وَأَيْدِى ٱلْمُؤْمِنِينَ
فَٱعْتَبِرُوا۟ يَـٰٓأُو۟لِى ٱلْأَبْصَـٰرِ ﴿٢﴾ وَلَوْلَآ أَن كَتَبَ ٱللَّهُ عَلَيْهِمُ
ٱلْجَلَآءَ لَعَذَّبَهُمْ فِى ٱلدُّنْيَا ۖ وَلَهُمْ فِى ٱلْـَٔاخِرَةِ عَذَابُ ٱلنَّارِ ﴿٣﴾

- **لَمْ يَحْتَسِبُوا**: لَمْ يَظنُّوا
- **ٱلْجَلَآءَ**: الخروجَ أو الإخراجَ من الدِّيارِ

مدّ ٦ حركات لزوماً — مدّ ٢ أو ٤ أو ٦ جوازاً	إخفاء ، ومواقع الغنّة (حركتان)	تفخيم
مدّ واجب ٤ أو ٥ حركات — مدّ حركتان	إدغام ، وما لا يُلفظ	قلقلة

ذَٰلِكَ بِأَنَّهُمْ شَآقُّوا۟ ٱللَّهَ وَرَسُولَهُۥ ۖ وَمَن يُشَآقِّ ٱللَّهَ فَإِنَّ ٱللَّهَ شَدِيدُ
ٱلْعِقَابِ ﴿٤﴾ مَا قَطَعْتُم مِّن لِّينَةٍ أَوْ تَرَكْتُمُوهَا قَآئِمَةً
عَلَىٰٓ أُصُولِهَا فَبِإِذْنِ ٱللَّهِ وَلِيُخْزِىَ ٱلْفَٰسِقِينَ ﴿٥﴾ وَمَآ أَفَآءَ ٱللَّهُ
عَلَىٰ رَسُولِهِۦ مِنْهُمْ فَمَآ أَوْجَفْتُمْ عَلَيْهِ مِنْ خَيْلٍ وَلَا رِكَابٍ
وَلَٰكِنَّ ٱللَّهَ يُسَلِّطُ رُسُلَهُۥ عَلَىٰ مَن يَشَآءُ ۚ وَٱللَّهُ عَلَىٰ كُلِّ شَىْءٍ
قَدِيرٌ ﴿٦﴾ مَّآ أَفَآءَ ٱللَّهُ عَلَىٰ رَسُولِهِۦ مِنْ أَهْلِ ٱلْقُرَىٰ فَلِلَّهِ وَلِلرَّسُولِ
وَلِذِى ٱلْقُرْبَىٰ وَٱلْيَتَٰمَىٰ وَٱلْمَسَٰكِينِ وَٱبْنِ ٱلسَّبِيلِ كَىْ لَا يَكُونَ
دُولَةًۢ بَيْنَ ٱلْأَغْنِيَآءِ مِنكُمْ ۚ وَمَآ ءَاتَىٰكُمُ ٱلرَّسُولُ فَخُذُوهُ وَمَا
نَهَىٰكُمْ عَنْهُ فَٱنتَهُوا۟ ۚ وَٱتَّقُوا۟ ٱللَّهَ ۖ إِنَّ ٱللَّهَ شَدِيدُ ٱلْعِقَابِ ﴿٧﴾
لِلْفُقَرَآءِ ٱلْمُهَٰجِرِينَ ٱلَّذِينَ أُخْرِجُوا۟ مِن دِيَٰرِهِمْ وَأَمْوَٰلِهِمْ
يَبْتَغُونَ فَضْلًا مِّنَ ٱللَّهِ وَرِضْوَٰنًا وَيَنصُرُونَ ٱللَّهَ وَرَسُولَهُۥٓ ۚ أُو۟لَٰٓئِكَ
هُمُ ٱلصَّٰدِقُونَ ﴿٨﴾ وَٱلَّذِينَ تَبَوَّءُو ٱلدَّارَ وَٱلْإِيمَٰنَ مِن قَبْلِهِمْ
يُحِبُّونَ مَنْ هَاجَرَ إِلَيْهِمْ وَلَا يَجِدُونَ فِى صُدُورِهِمْ حَاجَةً
مِّمَّآ أُوتُوا۟ وَيُؤْثِرُونَ عَلَىٰٓ أَنفُسِهِمْ وَلَوْ كَانَ بِهِمْ خَصَاصَةٌ ۚ
وَمَن يُوقَ شُحَّ نَفْسِهِۦ فَأُو۟لَٰٓئِكَ هُمُ ٱلْمُفْلِحُونَ ﴿٩﴾

- مَآ أَفَآءَ ٱللَّهُ: ما رَدَّ وما أَعادَ
- فَمَآ أَوْجَفْتُمْ عَلَيْهِ: فما أَجْرَيْتُمْ على تحصيلِهِ
- تَبَوَّءُو ٱلدَّارَ: تَوَطَّنُوا المدينَةَ

مدّ ٦ حركات لزوماً	إخفاء ، ومواقع الغُنَّة (حركتان)	تفخيم
مدّ ٢ أو ٤ أو ٦ جوازاً	إدغام ، وما لا يُلفظ	قلقلة
مدّ واجب ٤ أو ٥ حركات		
مدّ حركتان		

وَٱلَّذِينَ جَآءُو مِنۢ بَعۡدِهِمۡ يَقُولُونَ رَبَّنَا ٱغۡفِرۡ لَنَا
وَلِإِخۡوَٰنِنَا ٱلَّذِينَ سَبَقُونَا بِٱلۡإِيمَٰنِ وَلَا تَجۡعَلۡ فِي قُلُوبِنَا
غِلّٗا لِّلَّذِينَ ءَامَنُواْ رَبَّنَآ إِنَّكَ رَءُوفٞ رَّحِيمٌ ١٠ ۞ أَلَمۡ تَرَ إِلَى
ٱلَّذِينَ نَافَقُواْ يَقُولُونَ لِإِخۡوَٰنِهِمُ ٱلَّذِينَ كَفَرُواْ مِنۡ أَهۡلِ
ٱلۡكِتَٰبِ لَئِنۡ أُخۡرِجۡتُمۡ لَنَخۡرُجَنَّ مَعَكُمۡ وَلَا نُطِيعُ فِيكُمۡ
أَحَدًا أَبَدٗا وَإِن قُوتِلۡتُمۡ لَنَنصُرَنَّكُمۡ وَٱللَّهُ يَشۡهَدُ إِنَّهُمۡ لَكَٰذِبُونَ
١١ لَئِنۡ أُخۡرِجُواْ لَا يَخۡرُجُونَ مَعَهُمۡ وَلَئِن قُوتِلُواْ لَا يَنصُرُونَهُمۡ
وَلَئِن نَّصَرُوهُمۡ لَيُوَلُّنَّ ٱلۡأَدۡبَٰرَ ثُمَّ لَا يُنصَرُونَ ١٢
لَأَنتُمۡ أَشَدُّ رَهۡبَةٗ فِي صُدُورِهِم مِّنَ ٱللَّهِۚ ذَٰلِكَ بِأَنَّهُمۡ قَوۡمٞ
لَّا يَفۡقَهُونَ ١٣ لَا يُقَٰتِلُونَكُمۡ جَمِيعًا إِلَّا فِي قُرٗى
مُّحَصَّنَةٍ أَوۡ مِن وَرَآءِ جُدُرِۭۚ بَأۡسُهُم بَيۡنَهُمۡ شَدِيدٞۚ تَحۡسَبُهُمۡ
جَمِيعٗا وَقُلُوبُهُمۡ شَتَّىٰۚ ذَٰلِكَ بِأَنَّهُمۡ قَوۡمٞ لَّا يَعۡقِلُونَ ١٤
كَمَثَلِ ٱلَّذِينَ مِن قَبۡلِهِمۡ قَرِيبٗاۖ ذَاقُواْ وَبَالَ أَمۡرِهِمۡ وَلَهُمۡ عَذَابٌ
أَلِيمٞ ١٥ كَمَثَلِ ٱلشَّيۡطَٰنِ إِذۡ قَالَ لِلۡإِنسَٰنِ ٱكۡفُرۡ فَلَمَّا كَفَرَ
قَالَ إِنِّي بَرِيٓءٞ مِّنكَ إِنِّيٓ أَخَافُ ٱللَّهَ رَبَّ ٱلۡعَٰلَمِينَ ١٦

نصف الحزب ٥٥

- غِلّٗا: حِقداً وبُغضاً
- بَأۡسُهُم بَيۡنَهُمۡ: قِتالُهُم فيما بَيۡنَهُم
- قُلُوبُهُمۡ شَتَّىٰ: مُتفرّقة لِتعاديهِم
- وَبَالَ أَمۡرِهِمۡ: سُوءَ عاقِبَةِ كُفرِهِم

تفخيم — قلقلة

فَكَانَ عَٰقِبَتَهُمَآ أَنَّهُمَا فِي ٱلنَّارِ خَٰلِدَيۡنِ فِيهَاۚ وَذَٰلِكَ جَزَٰٓؤُاْ
ٱلظَّٰلِمِينَ ١٧ يَٰٓأَيُّهَا ٱلَّذِينَ ءَامَنُواْ ٱتَّقُواْ ٱللَّهَ وَلۡتَنظُرۡ
نَفۡسٞ مَّا قَدَّمَتۡ لِغَدٖۖ وَٱتَّقُواْ ٱللَّهَۚ إِنَّ ٱللَّهَ خَبِيرُۢ بِمَا تَعۡمَلُونَ
١٨ وَلَا تَكُونُواْ كَٱلَّذِينَ نَسُواْ ٱللَّهَ فَأَنسَىٰهُمۡ أَنفُسَهُمۡۚ أُوْلَٰٓئِكَ
هُمُ ٱلۡفَٰسِقُونَ ١٩ لَا يَسۡتَوِيٓ أَصۡحَٰبُ ٱلنَّارِ وَأَصۡحَٰبُ
ٱلۡجَنَّةِۚ أَصۡحَٰبُ ٱلۡجَنَّةِ هُمُ ٱلۡفَآئِزُونَ ٢٠ لَوۡ أَنزَلۡنَا هَٰذَا
ٱلۡقُرۡءَانَ عَلَىٰ جَبَلٖ لَّرَأَيۡتَهُۥ خَٰشِعٗا مُّتَصَدِّعٗا مِّنۡ خَشۡيَةِ
ٱللَّهِۚ وَتِلۡكَ ٱلۡأَمۡثَٰلُ نَضۡرِبُهَا لِلنَّاسِ لَعَلَّهُمۡ يَتَفَكَّرُونَ
٢١ هُوَ ٱللَّهُ ٱلَّذِي لَآ إِلَٰهَ إِلَّا هُوَۖ عَٰلِمُ ٱلۡغَيۡبِ وَٱلشَّهَٰدَةِۖ
هُوَ ٱلرَّحۡمَٰنُ ٱلرَّحِيمُ ٢٢ هُوَ ٱللَّهُ ٱلَّذِي لَآ إِلَٰهَ إِلَّا هُوَ
ٱلۡمَلِكُ ٱلۡقُدُّوسُ ٱلسَّلَٰمُ ٱلۡمُؤۡمِنُ ٱلۡمُهَيۡمِنُ ٱلۡعَزِيزُ
ٱلۡجَبَّارُ ٱلۡمُتَكَبِّرُۚ سُبۡحَٰنَ ٱللَّهِ عَمَّا يُشۡرِكُونَ
٢٣ هُوَ ٱللَّهُ ٱلۡخَٰلِقُ ٱلۡبَارِئُ ٱلۡمُصَوِّرُۖ لَهُ ٱلۡأَسۡمَآءُ ٱلۡحُسۡنَىٰۚ
يُسَبِّحُ لَهُۥ مَا فِي ٱلسَّمَٰوَٰتِ وَٱلۡأَرۡضِۖ وَهُوَ ٱلۡعَزِيزُ ٱلۡحَكِيمُ ٢٤

سُورَةُ المُمۡتَحَنَةِ

ترتيبها ٦٠ — آياتها ١٣

- خَٰشِعٗا: ذليلاً خاضعاً
- مُّتَصَدِّعٗا: متشقّقاً
- ٱلۡمَلِكُ: المالكُ لكلّ شيْءٍ
- ٱلۡقُدُّوسُ: البليغُ في النزاهة عن النّقائِصِ
- ٱلسَّلَٰمُ: ذُو السّلامَةِ من كلّ عَيْبٍ
- ٱلۡمُؤۡمِنُ: المُصدّقُ لرُسُلِه بالمُعْجزات
- ٱلۡمُهَيۡمِنُ: الرّقيبُ على كلّ شَيْءٍ
- ٱلۡعَزِيزُ: القويُّ الغَالبُ
- ٱلۡجَبَّارُ: القاهرُ . أو العظيمُ
- ٱلۡمُتَكَبِّرُ: البليغُ الكبرياء والعظمةِ

الحشر

- ٱلۡبَارِئُ: المبدِعُ المخترِعُ
- ٱلۡمُصَوِّرُ: خالقُ الصُّوَرِ على ما يريدُ

مدّ ٦ حركات لزوماً	إخفاء ، ومواقع الغُنَّة (حركتان)	تفخيم
مدّ ٢ أو ٤ أو ٦ جوازاً	إدغام ، وما لا يُلفَظ	قلقلة
مدّ واجب ٤ أو ٥ حركات		
مدّ حركتان		

بِسۡمِ ٱللَّهِ ٱلرَّحۡمَٰنِ ٱلرَّحِيمِ

يَٰٓأَيُّهَا ٱلَّذِينَ ءَامَنُواْ لَا تَتَّخِذُواْ عَدُوِّي وَعَدُوَّكُمۡ أَوۡلِيَآءَ تُلۡقُونَ
إِلَيۡهِم بِٱلۡمَوَدَّةِ وَقَدۡ كَفَرُواْ بِمَا جَآءَكُم مِّنَ ٱلۡحَقِّ يُخۡرِجُونَ ٱلرَّسُولَ
وَإِيَّاكُمۡ أَن تُؤۡمِنُواْ بِٱللَّهِ رَبِّكُمۡ إِن كُنتُمۡ خَرَجۡتُمۡ جِهَٰدٗا فِي سَبِيلِي
وَٱبۡتِغَآءَ مَرۡضَاتِيۚ تُسِرُّونَ إِلَيۡهِم بِٱلۡمَوَدَّةِ وَأَنَا۠ أَعۡلَمُ بِمَآ أَخۡفَيۡتُمۡ
وَمَآ أَعۡلَنتُمۡۚ وَمَن يَفۡعَلۡهُ مِنكُمۡ فَقَدۡ ضَلَّ سَوَآءَ ٱلسَّبِيلِ ١ إِن
يَثۡقَفُوكُمۡ يَكُونُواْ لَكُمۡ أَعۡدَآءٗ وَيَبۡسُطُوٓاْ إِلَيۡكُمۡ أَيۡدِيَهُمۡ وَأَلۡسِنَتَهُم
بِٱلسُّوٓءِ وَوَدُّواْ لَوۡ تَكۡفُرُونَ ٢ لَن تَنفَعَكُمۡ أَرۡحَامُكُمۡ وَلَآ أَوۡلَٰدُكُمۡۚ
يَوۡمَ ٱلۡقِيَٰمَةِ يَفۡصِلُ بَيۡنَكُمۡۚ وَٱللَّهُ بِمَا تَعۡمَلُونَ بَصِيرٞ ٣ قَدۡ
كَانَتۡ لَكُمۡ أُسۡوَةٌ حَسَنَةٞ فِيٓ إِبۡرَٰهِيمَ وَٱلَّذِينَ مَعَهُۥٓ إِذۡ قَالُواْ لِقَوۡمِهِمۡ
إِنَّا بُرَءَٰٓؤُاْ مِنكُمۡ وَمِمَّا تَعۡبُدُونَ مِن دُونِ ٱللَّهِ كَفَرۡنَا بِكُمۡ وَبَدَا بَيۡنَنَا
وَبَيۡنَكُمُ ٱلۡعَدَٰوَةُ وَٱلۡبَغۡضَآءُ أَبَدًا حَتَّىٰ تُؤۡمِنُواْ بِٱللَّهِ وَحۡدَهُۥٓ إِلَّا
قَوۡلَ إِبۡرَٰهِيمَ لِأَبِيهِ لَأَسۡتَغۡفِرَنَّ لَكَ وَمَآ أَمۡلِكُ لَكَ مِنَ ٱللَّهِ مِن شَيۡءٖۖ
رَّبَّنَا عَلَيۡكَ تَوَكَّلۡنَا وَإِلَيۡكَ أَنَبۡنَا وَإِلَيۡكَ ٱلۡمَصِيرُ ٤ رَّبَّنَا لَا تَجۡعَلۡنَا
فِتۡنَةٗ لِّلَّذِينَ كَفَرُواْ وَٱغۡفِرۡ لَنَا رَبَّنَآۖ إِنَّكَ أَنتَ ٱلۡعَزِيزُ ٱلۡحَكِيمُ ٥

- أَوۡلِيَآءَ: أعواناً تُوادُّونَهُمْ وتُناصِحُونَهُمْ
- يَثۡقَفُوكُمۡ: يَظْفَرُوا بِكُمْ
- يَبۡسُطُوٓاْ إِلَيۡكُمۡ: يَمُدُّوا إليكم
- أُسۡوَةٌ: قُدْوَةٌ
- بُرَءَٰٓؤُاْ مِنكُمۡ: أَبْرِيَاءُ منكم
- إِلَيۡكَ أَنَبۡنَا: إِلَيْكَ رَجَعْنَا تائبين
- فِتۡنَةٗ: معذَّبِينَ

مدّ ٦ حركات لزوماً ● مدّ ٢ أو ٤ أو ٦ جوازاً	إخفاء ، ومواقع الغُنَّة (حركتان)	تفخيم
مدّ واجب ٤ أو ٥ حركات ● مدّ حركتان	إدغام ، وما لا يُلفظ	قلقلة

ثلاثة أرباع الحزب ٥٥

لَقَدۡ كَانَ لَكُمۡ فِيهِمۡ أُسۡوَةٌ حَسَنَةٞ لِّمَن كَانَ يَرۡجُواْ ٱللَّهَ وَٱلۡيَوۡمَ ٱلۡأٓخِرَۚ
وَمَن يَتَوَلَّ فَإِنَّ ٱللَّهَ هُوَ ٱلۡغَنِيُّ ٱلۡحَمِيدُ ٦ ۞ عَسَى ٱللَّهُ أَن يَجۡعَلَ
بَيۡنَكُمۡ وَبَيۡنَ ٱلَّذِينَ عَادَيۡتُم مِّنۡهُم مَّوَدَّةٗۚ وَٱللَّهُ قَدِيرٞۚ وَٱللَّهُ غَفُورٞ رَّحِيمٞ
٧ لَّا يَنۡهَىٰكُمُ ٱللَّهُ عَنِ ٱلَّذِينَ لَمۡ يُقَٰتِلُوكُمۡ فِي ٱلدِّينِ وَلَمۡ يُخۡرِجُوكُم
مِّن دِيَٰرِكُمۡ أَن تَبَرُّوهُمۡ وَتُقۡسِطُوٓاْ إِلَيۡهِمۡۚ إِنَّ ٱللَّهَ يُحِبُّ ٱلۡمُقۡسِطِينَ
٨ إِنَّمَا يَنۡهَىٰكُمُ ٱللَّهُ عَنِ ٱلَّذِينَ قَٰتَلُوكُمۡ فِي ٱلدِّينِ وَأَخۡرَجُوكُم
مِّن دِيَٰرِكُمۡ وَظَٰهَرُواْ عَلَىٰٓ إِخۡرَاجِكُمۡ أَن تَوَلَّوۡهُمۡۚ وَمَن يَتَوَلَّهُمۡ فَأُوْلَٰٓئِكَ
هُمُ ٱلظَّٰلِمُونَ ٩ يَٰٓأَيُّهَا ٱلَّذِينَ ءَامَنُوٓاْ إِذَا جَآءَكُمُ ٱلۡمُؤۡمِنَٰتُ
مُهَٰجِرَٰتٖ فَٱمۡتَحِنُوهُنَّۖ ٱللَّهُ أَعۡلَمُ بِإِيمَٰنِهِنَّۖ فَإِنۡ عَلِمۡتُمُوهُنَّ مُؤۡمِنَٰتٖ
فَلَا تَرۡجِعُوهُنَّ إِلَى ٱلۡكُفَّارِۖ لَا هُنَّ حِلّٞ لَّهُمۡ وَلَا هُمۡ يَحِلُّونَ لَهُنَّۖ وَءَاتُوهُم
مَّآ أَنفَقُواْۚ وَلَا جُنَاحَ عَلَيۡكُمۡ أَن تَنكِحُوهُنَّ إِذَآ ءَاتَيۡتُمُوهُنَّ أُجُورَهُنَّۚ
وَلَا تُمۡسِكُواْ بِعِصَمِ ٱلۡكَوَافِرِ وَسۡـَٔلُواْ مَآ أَنفَقۡتُمۡ وَلۡيَسۡـَٔلُواْ مَآ أَنفَقُواْۚ
ذَٰلِكُمۡ حُكۡمُ ٱللَّهِ يَحۡكُمُ بَيۡنَكُمۡۚ وَٱللَّهُ عَلِيمٌ حَكِيمٞ ١٠ وَإِن فَاتَكُمۡ
شَيۡءٞ مِّنۡ أَزۡوَٰجِكُمۡ إِلَى ٱلۡكُفَّارِ فَعَاقَبۡتُمۡ فَـَٔاتُواْ ٱلَّذِينَ ذَهَبَتۡ
أَزۡوَٰجُهُم مِّثۡلَ مَآ أَنفَقُواْۚ وَٱتَّقُواْ ٱللَّهَ ٱلَّذِيٓ أَنتُم بِهِۦ مُؤۡمِنُونَ ١١

- تَبَرُّوهُمۡ: تُحسِنُوا إِلَيهِمْ
- تُقۡسِطُوٓاْ إِلَيۡهِمۡ: تُعْطُوهُمْ قِسْطاً مِنْ أموالِكُم
- ظَٰهَرُواْ: عاوَنُوا
- تَوَلَّوۡهُمۡ: تَتَّخذُوهُمْ أَوْلِيَاءَ
- فَٱمۡتَحِنُوهُنَّ: اخْتَبِرُوهُنَّ بالتَّحْلِيفِ
- أُجُورَهُنَّ: مُهُورَهُنَّ
- بِعِصَمِ ٱلۡكَوَافِرِ: عُقُودِ نِكَاحِ المشْرِكَاتِ
- فَعَاقَبۡتُمۡ: فَغَزَوْتُم فَغَنِمْتُمْ مِنْهُمْ

الممتحنة

مدّ ٦ حركات لزوماً — مدّ ٢ أو ٤ أو ٦ جوازاً	إخفاء، ومواقع الغُنَّة (حركتان)	تفخيم
مدّ واجب ٤ أو ٥ حركات — مدّ حركتان	إدغام، وما لا يُلفَظ	قلقلة

يَٰٓأَيُّهَا ٱلنَّبِىُّ إِذَا جَآءَكَ ٱلْمُؤْمِنَٰتُ يُبَايِعْنَكَ عَلَىٰٓ أَن لَّا يُشْرِكْنَ
بِٱللَّهِ شَيْـًٔا وَلَا يَسْرِقْنَ وَلَا يَزْنِينَ وَلَا يَقْتُلْنَ أَوْلَٰدَهُنَّ وَلَا يَأْتِينَ
بِبُهْتَٰنٍ يَفْتَرِينَهُۥ بَيْنَ أَيْدِيهِنَّ وَأَرْجُلِهِنَّ وَلَا يَعْصِينَكَ
فِى مَعْرُوفٍ فَبَايِعْهُنَّ وَٱسْتَغْفِرْ لَهُنَّ ٱللَّهَ ۖ إِنَّ ٱللَّهَ غَفُورٌ رَّحِيمٌ
﴿١٢﴾ يَٰٓأَيُّهَا ٱلَّذِينَ ءَامَنُوا۟ لَا تَتَوَلَّوْا۟ قَوْمًا غَضِبَ ٱللَّهُ عَلَيْهِمْ
قَدْ يَئِسُوا۟ مِنَ ٱلْءَاخِرَةِ كَمَا يَئِسَ ٱلْكُفَّارُ مِنْ أَصْحَٰبِ ٱلْقُبُورِ ﴿١٣﴾

سُورَةُ الصَّفِّ

ترتيبها ٦١ — آياتها ١٤

بِسْمِ ٱللَّهِ ٱلرَّحْمَٰنِ ٱلرَّحِيمِ

سَبَّحَ لِلَّهِ مَا فِى ٱلسَّمَٰوَٰتِ وَمَا فِى ٱلْأَرْضِ ۖ وَهُوَ ٱلْعَزِيزُ ٱلْحَكِيمُ
﴿١﴾ يَٰٓأَيُّهَا ٱلَّذِينَ ءَامَنُوا۟ لِمَ تَقُولُونَ مَا لَا تَفْعَلُونَ ﴿٢﴾
كَبُرَ مَقْتًا عِندَ ٱللَّهِ أَن تَقُولُوا۟ مَا لَا تَفْعَلُونَ ﴿٣﴾ إِنَّ
ٱللَّهَ يُحِبُّ ٱلَّذِينَ يُقَٰتِلُونَ فِى سَبِيلِهِۦ صَفًّا كَأَنَّهُم
بُنْيَٰنٌ مَّرْصُوصٌ ﴿٤﴾ وَإِذْ قَالَ مُوسَىٰ لِقَوْمِهِۦ يَٰقَوْمِ لِمَ
تُؤْذُونَنِى وَقَد تَّعْلَمُونَ أَنِّى رَسُولُ ٱللَّهِ إِلَيْكُمْ ۖ فَلَمَّا
زَاغُوٓا۟ أَزَاغَ ٱللَّهُ قُلُوبَهُمْ ۚ وَٱللَّهُ لَا يَهْدِى ٱلْقَوْمَ ٱلْفَٰسِقِينَ ﴿٥﴾

- **بِبُهْتَٰنٍ**: بإلصاق اللُّقَطاء بالأزواج
- **يَفْتَرِينَهُۥ**: يَختلِقْنَهُ
- **سَبَّحَ لِلَّهِ**: نزَّهَهُ ومَجَّدَه..
- **كَبُرَ مَقْتًا**: عَظُمَ بُغْضاً
- **صَفًّا**: صافّين أنْفُسَهُمْ
- **بُنْيَٰنٌ مَّرْصُوصٌ**: متلاصِقٌ مُحْكَمٌ
- **زَاغُوٓا۟**: مَالُوا عن الحَقِّ

مدّ ٦ حركات لزوماً — مدّ ٢ أو ٤ أو ٦ جوازاً	إخفاء، ومواقع الغُنَّة (حركتان)	تفخيم
مدّ واجب ٤ أو ٥ حركات — مدّ حركتان	إدغام، وما لا يُلفَظ	قلقلة

وَإِذْ قَالَ عِيسَى ٱبْنُ مَرْيَمَ يَٰبَنِىٓ إِسْرَٰٓءِيلَ إِنِّى رَسُولُ ٱللَّهِ إِلَيْكُم مُّصَدِّقًا
لِّمَا بَيْنَ يَدَىَّ مِنَ ٱلتَّوْرَىٰةِ وَمُبَشِّرًۢا بِرَسُولٍ يَأْتِى مِنۢ بَعْدِى ٱسْمُهُۥٓ أَحْمَدُ ۖ فَلَمَّا
جَآءَهُم بِٱلْبَيِّنَٰتِ قَالُوا۟ هَٰذَا سِحْرٌ مُّبِينٌ ﴿٦﴾ وَمَنْ أَظْلَمُ مِمَّنِ ٱفْتَرَىٰ
عَلَى ٱللَّهِ ٱلْكَذِبَ وَهُوَ يُدْعَىٰٓ إِلَى ٱلْإِسْلَٰمِ ۚ وَٱللَّهُ لَا يَهْدِى ٱلْقَوْمَ ٱلظَّٰلِمِينَ
﴿٧﴾ يُرِيدُونَ لِيُطْفِـُٔوا۟ نُورَ ٱللَّهِ بِأَفْوَٰهِهِمْ وَٱللَّهُ مُتِمُّ نُورِهِۦ وَلَوْ كَرِهَ
ٱلْكَٰفِرُونَ ﴿٨﴾ هُوَ ٱلَّذِىٓ أَرْسَلَ رَسُولَهُۥ بِٱلْهُدَىٰ وَدِينِ ٱلْحَقِّ لِيُظْهِرَهُۥ
عَلَى ٱلدِّينِ كُلِّهِۦ وَلَوْ كَرِهَ ٱلْمُشْرِكُونَ ﴿٩﴾ يَٰٓأَيُّهَا ٱلَّذِينَ ءَامَنُوا۟ هَلْ أَدُلُّكُمْ
عَلَىٰ تِجَٰرَةٍ تُنجِيكُم مِّنْ عَذَابٍ أَلِيمٍ ﴿١٠﴾ تُؤْمِنُونَ بِٱللَّهِ وَرَسُولِهِۦ وَتُجَٰهِدُونَ
فِى سَبِيلِ ٱللَّهِ بِأَمْوَٰلِكُمْ وَأَنفُسِكُمْ ۚ ذَٰلِكُمْ خَيْرٌ لَّكُمْ إِن كُنتُمْ تَعْلَمُونَ ﴿١١﴾
يَغْفِرْ لَكُمْ ذُنُوبَكُمْ وَيُدْخِلْكُمْ جَنَّٰتٍ تَجْرِى مِن تَحْتِهَا ٱلْأَنْهَٰرُ وَمَسَٰكِنَ
طَيِّبَةً فِى جَنَّٰتِ عَدْنٍ ۚ ذَٰلِكَ ٱلْفَوْزُ ٱلْعَظِيمُ ﴿١٢﴾ وَأُخْرَىٰ تُحِبُّونَهَا ۖ نَصْرٌ
مِّنَ ٱللَّهِ وَفَتْحٌ قَرِيبٌ ۗ وَبَشِّرِ ٱلْمُؤْمِنِينَ ﴿١٣﴾ يَٰٓأَيُّهَا ٱلَّذِينَ ءَامَنُوا۟ كُونُوٓا۟
أَنصَارَ ٱللَّهِ كَمَا قَالَ عِيسَى ٱبْنُ مَرْيَمَ لِلْحَوَارِيِّۦنَ مَنْ أَنصَارِىٓ إِلَى ٱللَّهِ ۖ
قَالَ ٱلْحَوَارِيُّونَ نَحْنُ أَنصَارُ ٱللَّهِ ۖ فَـَٔامَنَت طَّآئِفَةٌ مِّنۢ بَنِىٓ إِسْرَٰٓءِيلَ
وَكَفَرَت طَّآئِفَةٌ ۖ فَأَيَّدْنَا ٱلَّذِينَ ءَامَنُوا۟ عَلَىٰ عَدُوِّهِمْ فَأَصْبَحُوا۟ ظَٰهِرِينَ ﴿١٤﴾

- نُورَ ٱللَّهِ: الحقَّ الذي جاء به الرَّسولُ ﷺ
- لِلْحَوَارِيِّۦنَ: أَصْفياءِ عيسَى وخَواصِّه
- ظَٰهِرِينَ: غالِبينَ بالحُجَجِ والبيِّناتِ

مدّ ٦ حركات لزوماً — مدّ ٢ أو ٤ أو ٦ جوازاً	إخفاء، ومواقع الغُنَّة (حركتان)	تفخيم
مدّ واجب ٤ أو ٥ حركات — مدّ حركتان	إدغام، وما لا يُلفَظ	قلقلة

سورة الجمعة

بِسْمِ اللَّهِ الرَّحْمَٰنِ الرَّحِيمِ

يُسَبِّحُ لِلَّهِ مَا فِي السَّمَٰوَٰتِ وَمَا فِي الْأَرْضِ الْمَلِكِ الْقُدُّوسِ الْعَزِيزِ الْحَكِيمِ ۝ هُوَ الَّذِي بَعَثَ فِي الْأُمِّيِّنَ رَسُولًا مِّنْهُمْ يَتْلُوا عَلَيْهِمْ ءَايَٰتِهِۦ وَيُزَكِّيهِمْ وَيُعَلِّمُهُمُ الْكِتَٰبَ وَالْحِكْمَةَ وَإِن كَانُوا مِن قَبْلُ لَفِي ضَلَٰلٍ مُّبِينٍ ۝ وَءَاخَرِينَ مِنْهُمْ لَمَّا يَلْحَقُوا بِهِمْ وَهُوَ الْعَزِيزُ الْحَكِيمُ ۝ ذَٰلِكَ فَضْلُ اللَّهِ يُؤْتِيهِ مَن يَشَاءُ وَاللَّهُ ذُو الْفَضْلِ الْعَظِيمِ ۝ مَثَلُ الَّذِينَ حُمِّلُوا التَّوْرَىٰةَ ثُمَّ لَمْ يَحْمِلُوهَا كَمَثَلِ الْحِمَارِ يَحْمِلُ أَسْفَارًا بِئْسَ مَثَلُ الْقَوْمِ الَّذِينَ كَذَّبُوا بِـَٔايَٰتِ اللَّهِ وَاللَّهُ لَا يَهْدِي الْقَوْمَ الظَّٰلِمِينَ ۝ قُلْ يَٰأَيُّهَا الَّذِينَ هَادُوا إِن زَعَمْتُمْ أَنَّكُمْ أَوْلِيَاءُ لِلَّهِ مِن دُونِ النَّاسِ فَتَمَنَّوُا الْمَوْتَ إِن كُنتُمْ صَٰدِقِينَ ۝ وَلَا يَتَمَنَّوْنَهُ أَبَدًا بِمَا قَدَّمَتْ أَيْدِيهِمْ وَاللَّهُ عَلِيمٌ بِالظَّٰلِمِينَ ۝ قُلْ إِنَّ الْمَوْتَ الَّذِي تَفِرُّونَ مِنْهُ فَإِنَّهُۥ مُلَٰقِيكُمْ ثُمَّ تُرَدُّونَ إِلَىٰ عَٰلِمِ الْغَيْبِ وَالشَّهَٰدَةِ فَيُنَبِّئُكُم بِمَا كُنتُمْ تَعْمَلُونَ ۝

يَـٰٓأَيُّهَا ٱلَّذِينَ ءَامَنُوٓا۟ إِذَا نُودِىَ لِلصَّلَوٰةِ مِن يَوْمِ ٱلْجُمُعَةِ فَٱسْعَوْا۟ إِلَىٰ ذِكْرِ ٱللَّهِ وَذَرُوا۟ ٱلْبَيْعَ ۚ ذَٰلِكُمْ خَيْرٌ لَّكُمْ إِن كُنتُمْ تَعْلَمُونَ ۝ فَإِذَا قُضِيَتِ ٱلصَّلَوٰةُ فَٱنتَشِرُوا۟ فِى ٱلْأَرْضِ وَٱبْتَغُوا۟ مِن فَضْلِ ٱللَّهِ وَٱذْكُرُوا۟ ٱللَّهَ كَثِيرًا لَّعَلَّكُمْ تُفْلِحُونَ ۝ وَإِذَا رَأَوْا۟ تِجَـٰرَةً أَوْ لَهْوًا ٱنفَضُّوٓا۟ إِلَيْهَا وَتَرَكُوكَ قَآئِمًا ۚ قُلْ مَا عِندَ ٱللَّهِ خَيْرٌ مِّنَ ٱللَّهْوِ وَمِنَ ٱلتِّجَـٰرَةِ ۚ وَٱللَّهُ خَيْرُ ٱلرَّٰزِقِينَ ۝

سُورَةُ المُنَافِقُون

ترتيبها ٦٣ — آياتها ١١

بِسْمِ ٱللَّهِ ٱلرَّحْمَـٰنِ ٱلرَّحِيمِ

إِذَا جَآءَكَ ٱلْمُنَـٰفِقُونَ قَالُوا۟ نَشْهَدُ إِنَّكَ لَرَسُولُ ٱللَّهِ ۗ وَٱللَّهُ يَعْلَمُ إِنَّكَ لَرَسُولُهُۥ وَٱللَّهُ يَشْهَدُ إِنَّ ٱلْمُنَـٰفِقِينَ لَكَـٰذِبُونَ ۝ ٱتَّخَذُوٓا۟ أَيْمَـٰنَهُمْ جُنَّةً فَصَدُّوا۟ عَن سَبِيلِ ٱللَّهِ ۚ إِنَّهُمْ سَآءَ مَا كَانُوا۟ يَعْمَلُونَ ۝ ذَٰلِكَ بِأَنَّهُمْ ءَامَنُوا۟ ثُمَّ كَفَرُوا۟ فَطُبِعَ عَلَىٰ قُلُوبِهِمْ فَهُمْ لَا يَفْقَهُونَ ۝ وَإِذَا رَأَيْتَهُمْ تُعْجِبُكَ أَجْسَامُهُمْ ۖ وَإِن يَقُولُوا۟ تَسْمَعْ لِقَوْلِهِمْ ۖ كَأَنَّهُمْ خُشُبٌ مُّسَنَّدَةٌ ۖ يَحْسَبُونَ كُلَّ صَيْحَةٍ عَلَيْهِمْ ۚ هُمُ ٱلْعَدُوُّ فَٱحْذَرْهُمْ ۚ قَـٰتَلَهُمُ ٱللَّهُ ۖ أَنَّىٰ يُؤْفَكُونَ ۝

الحاشية (التفسير):

• ذَرُوا۟ ٱلْبَيْعَ
اتْرُكُوهُ وَتَفَرَّغُوا۟ لِذِكْرِ الله

• فَٱنتَشِرُوا۟
تَفَرَّقُوا۟ لِلتَّصَرُّفِ فِي حَوَائِجِكُمْ

• ٱنفَضُّوٓا۟ إِلَيْهَا
تَفَرَّقُوا۟ عَنكَ قَاصِدِينَ إِلَيْهَا

• جُنَّةً
وِقَايَةً لِأَنْفُسِهِمْ وَأَمْوَالِهِمْ

• فَطُبِعَ
خُتِمَ

• لَا يَفْقَهُونَ
لَا يَعْرِفُونَ حَقِّيَّةَ الإِيمَانِ

• خُشُبٌ مُّسَنَّدَةٌ
أَجْسَامٌ بِلَا أَحْلَامٍ (بِلَا عُقُولٍ)

• أَنَّىٰ يُؤْفَكُونَ
كَيْفَ يُصْرَفُونَ عَنِ الحَقِّ

المنافقون

أحكام التجويد:

● مَدّ ٦ حركات لزومًا   ● مَدّ ٢ أو ٤ أو ٦ جوازًا
● مَدّ واجب ٤ أو ٥ حركات   ● مَدّ حركتان
● إخفاء ، ومواقع الغنّة (حركتان)
● إدغام ، وما لا يُلفَظ
● تفخيم
● قلقلة

وَإِذَا قِيلَ لَهُمۡ تَعَالَوۡاْ يَسۡتَغۡفِرۡ لَكُمۡ رَسُولُ ٱللَّهِ لَوَّوۡاْ رُءُوسَهُمۡ
وَرَأَيۡتَهُمۡ يَصُدُّونَ وَهُم مُّسۡتَكۡبِرُونَ ٥ سَوَآءٌ عَلَيۡهِمۡ
أَسۡتَغۡفَرۡتَ لَهُمۡ أَمۡ لَمۡ تَسۡتَغۡفِرۡ لَهُمۡ لَن يَغۡفِرَ ٱللَّهُ لَهُمۡۚ إِنَّ
ٱللَّهَ لَا يَهۡدِي ٱلۡقَوۡمَ ٱلۡفَٰسِقِينَ ٦ هُمُ ٱلَّذِينَ يَقُولُونَ
لَا تُنفِقُواْ عَلَىٰ مَنۡ عِندَ رَسُولِ ٱللَّهِ حَتَّىٰ يَنفَضُّواْۗ وَلِلَّهِ
خَزَآئِنُ ٱلسَّمَٰوَٰتِ وَٱلۡأَرۡضِ وَلَٰكِنَّ ٱلۡمُنَٰفِقِينَ لَا يَفۡقَهُونَ
٧ يَقُولُونَ لَئِن رَّجَعۡنَآ إِلَى ٱلۡمَدِينَةِ لَيُخۡرِجَنَّ ٱلۡأَعَزُّ
مِنۡهَا ٱلۡأَذَلَّۚ وَلِلَّهِ ٱلۡعِزَّةُ وَلِرَسُولِهِۦ وَلِلۡمُؤۡمِنِينَ وَلَٰكِنَّ
ٱلۡمُنَٰفِقِينَ لَا يَعۡلَمُونَ ٨ يَٰٓأَيُّهَا ٱلَّذِينَ ءَامَنُواْ لَا تُلۡهِكُمۡ
أَمۡوَٰلُكُمۡ وَلَآ أَوۡلَٰدُكُمۡ عَن ذِكۡرِ ٱللَّهِۚ وَمَن يَفۡعَلۡ
ذَٰلِكَ فَأُوْلَٰٓئِكَ هُمُ ٱلۡخَٰسِرُونَ ٩ وَأَنفِقُواْ مِن مَّا رَزَقۡنَٰكُم
مِّن قَبۡلِ أَن يَأۡتِيَ أَحَدَكُمُ ٱلۡمَوۡتُ فَيَقُولَ رَبِّ لَوۡلَآ أَخَّرۡتَنِيٓ
إِلَىٰٓ أَجَلٖ قَرِيبٖ فَأَصَّدَّقَ وَأَكُن مِّنَ ٱلصَّٰلِحِينَ ١٠ وَلَن
يُؤَخِّرَ ٱللَّهُ نَفۡسًا إِذَا جَآءَ أَجَلُهَاۚ وَٱللَّهُ خَبِيرُۢ بِمَا تَعۡمَلُونَ ١١

سُورَةُ التَّغَابُنِ

ترتيبها ٦٤ — آياتها ١٨

- **لَوَّوۡاْ رُءُوسَهُمۡ**: عطفوها إعراضاً واستكباراً
- **حَتَّىٰ يَنفَضُّواْ**: كي يتفرّقوا عنه ﷺ
- **لَيُخۡرِجَنَّ ٱلۡأَعَزُّ**: الأشدُّ والأقوى
- **ٱلۡأَذَلَّ**: الأضعف والأهون
- **وَلِلَّهِ ٱلۡعِزَّةُ**: الغلبة والقهر
- **لَا تُلۡهِكُمۡ**: لا تشغلكم

مدّ ٦ حركات لزوماً — مدّ ٢ أو ٤ أو ٦ جوازاً	إخفاء ، ومواقع الغُنَّة (حركتان)	تفخيم
مدّ واجب ٤ أو ٥ حركات — مدّ حركتان	إدغام ، وما لا يُلفَظ	قلقلة

بِسۡمِ ٱللَّهِ ٱلرَّحۡمَٰنِ ٱلرَّحِيمِ

يُسَبِّحُ لِلَّهِ مَا فِي ٱلسَّمَٰوَٰتِ وَمَا فِي ٱلۡأَرۡضِۖ لَهُ ٱلۡمُلۡكُ وَلَهُ ٱلۡحَمۡدُۖ
وَهُوَ عَلَىٰ كُلِّ شَيۡءٖ قَدِيرٌ ١ هُوَ ٱلَّذِي خَلَقَكُمۡ فَمِنكُمۡ كَافِرٞ
وَمِنكُم مُّؤۡمِنٞۚ وَٱللَّهُ بِمَا تَعۡمَلُونَ بَصِيرٌ ٢ خَلَقَ ٱلسَّمَٰوَٰتِ
وَٱلۡأَرۡضَ بِٱلۡحَقِّ وَصَوَّرَكُمۡ فَأَحۡسَنَ صُوَرَكُمۡۖ وَإِلَيۡهِ ٱلۡمَصِيرُ ٣
يَعۡلَمُ مَا فِي ٱلسَّمَٰوَٰتِ وَٱلۡأَرۡضِ وَيَعۡلَمُ مَا تُسِرُّونَ وَمَا تُعۡلِنُونَۚ وَٱللَّهُ
عَلِيمُۢ بِذَاتِ ٱلصُّدُورِ ٤ أَلَمۡ يَأۡتِكُمۡ نَبَؤُاْ ٱلَّذِينَ كَفَرُواْ مِن قَبۡلُ
فَذَاقُواْ وَبَالَ أَمۡرِهِمۡ وَلَهُمۡ عَذَابٌ أَلِيمٞ ٥ ذَٰلِكَ بِأَنَّهُۥ كَانَت تَّأۡتِيهِمۡ
رُسُلُهُم بِٱلۡبَيِّنَٰتِ فَقَالُوٓاْ أَبَشَرٞ يَهۡدُونَنَا فَكَفَرُواْ وَتَوَلَّواْۚ وَّٱسۡتَغۡنَى
ٱللَّهُۚ وَٱللَّهُ غَنِيٌّ حَمِيدٞ ٦ زَعَمَ ٱلَّذِينَ كَفَرُوٓاْ أَن لَّن يُبۡعَثُواْۚ قُلۡ بَلَىٰ وَرَبِّي
لَتُبۡعَثُنَّ ثُمَّ لَتُنَبَّؤُنَّ بِمَا عَمِلۡتُمۡۚ وَذَٰلِكَ عَلَى ٱللَّهِ يَسِيرٞ ٧ فَـَٔامِنُواْ بِٱللَّهِ
وَرَسُولِهِۦ وَٱلنُّورِ ٱلَّذِيٓ أَنزَلۡنَاۚ وَٱللَّهُ بِمَا تَعۡمَلُونَ خَبِيرٞ ٨ يَوۡمَ
يَجۡمَعُكُمۡ لِيَوۡمِ ٱلۡجَمۡعِۖ ذَٰلِكَ يَوۡمُ ٱلتَّغَابُنِۗ وَمَن يُؤۡمِنۢ بِٱللَّهِ وَيَعۡمَلۡ
صَٰلِحٗا يُكَفِّرۡ عَنۡهُ سَيِّـَٔاتِهِۦ وَيُدۡخِلۡهُ جَنَّٰتٖ تَجۡرِي مِن تَحۡتِهَا
ٱلۡأَنۡهَٰرُ خَٰلِدِينَ فِيهَآ أَبَدٗاۚ ذَٰلِكَ ٱلۡفَوۡزُ ٱلۡعَظِيمُ ٩

- يُسَبِّحُ لِلَّهِ .. يُنَزِّهُهُ ويُمَجِّدُه..
- لَهُ ٱلۡمُلۡكُ: التَّصرُّفُ المطلقُ في كلِّ شيءٍ
- فَأَحۡسَنَ صُوَرَكُمۡ: أتقَنَها وأحكَمَها
- وَبَالَ أَمۡرِهِمۡ: سُوءَ عاقِبَةِ كُفْرِهِمْ
- تَوَلَّواْ: أعْرَضُوا عن الإيمان
- ٱلنُّورِ: القرآنِ
- لِيَوۡمِ ٱلۡجَمۡعِ: لِيَوْمِ القِيامةِ حيث تجتمعُ الخلائقُ
- يَوۡمُ ٱلتَّغَابُنِ: يَظْهَرُ فيه غَبْنُ الكافرِ بتركه الإيمان وغَبْنُ المؤمن بتقصيره في الإحسان

مدّ ٦ حركات لزوماً — مدّ ٢ أو ٤ أو ٦ جوازاً	إخفاء ، ومواقع الغُنَّة (حركتان)	تفخيم
مدّ واجب ٤ أو ٥ حركات — مدّ حركتان	إدغام ، وما لا يُلفَظ	قلقلة

التغابن

وَٱلَّذِينَ كَفَرُواْ وَكَذَّبُواْ بِـَٔايَٰتِنَآ أُوْلَٰٓئِكَ أَصۡحَٰبُ
ٱلنَّارِ خَٰلِدِينَ فِيهَاۖ وَبِئۡسَ ٱلۡمَصِيرُ ١٠ مَآ أَصَابَ مِن
مُّصِيبَةٍ إِلَّا بِإِذۡنِ ٱللَّهِۗ وَمَن يُؤۡمِنۢ بِٱللَّهِ يَهۡدِ قَلۡبَهُۥۚ وَٱللَّهُ بِكُلِّ
شَيۡءٍ عَلِيمٞ ١١ وَأَطِيعُواْ ٱللَّهَ وَأَطِيعُواْ ٱلرَّسُولَۚ فَإِن
تَوَلَّيۡتُمۡ فَإِنَّمَا عَلَىٰ رَسُولِنَا ٱلۡبَلَٰغُ ٱلۡمُبِينُ ١٢ ٱللَّهُ لَآ إِلَٰهَ
إِلَّا هُوَۚ وَعَلَى ٱللَّهِ فَلۡيَتَوَكَّلِ ٱلۡمُؤۡمِنُونَ ١٣ يَٰٓأَيُّهَا
ٱلَّذِينَ ءَامَنُوٓاْ إِنَّ مِنۡ أَزۡوَٰجِكُمۡ وَأَوۡلَٰدِكُمۡ عَدُوّٗا
لَّكُمۡ فَٱحۡذَرُوهُمۡۚ وَإِن تَعۡفُواْ وَتَصۡفَحُواْ وَتَغۡفِرُواْ
فَإِنَّ ٱللَّهَ غَفُورٞ رَّحِيمٌ ١٤ إِنَّمَآ أَمۡوَٰلُكُمۡ وَأَوۡلَٰدُكُمۡ
فِتۡنَةٞۚ وَٱللَّهُ عِندَهُۥٓ أَجۡرٌ عَظِيمٞ ١٥ فَٱتَّقُواْ ٱللَّهَ مَا ٱسۡتَطَعۡتُمۡ
وَٱسۡمَعُواْ وَأَطِيعُواْ وَأَنفِقُواْ خَيۡرٗا لِّأَنفُسِكُمۡۗ وَمَن
يُوقَ شُحَّ نَفۡسِهِۦ فَأُوْلَٰٓئِكَ هُمُ ٱلۡمُفۡلِحُونَ ١٦ إِن تُقۡرِضُواْ
ٱللَّهَ قَرۡضًا حَسَنٗا يُضَٰعِفۡهُ لَكُمۡ وَيَغۡفِرۡ لَكُمۡۚ وَٱللَّهُ شَكُورٌ
حَلِيمٌ ١٧ عَٰلِمُ ٱلۡغَيۡبِ وَٱلشَّهَٰدَةِ ٱلۡعَزِيزُ ٱلۡحَكِيمُ ١٨

سُورَةُ الطَّلَاقِ

ترتيبها ٦٥ — آياتها ١٢

- بِإِذۡنِ ٱللَّهِ: بإرادته وقضائه
- فِتۡنَةٞ: بلاءٌ ومحنةٌ
- يُوقَ شُحَّ نَفۡسِهِۦ: يُكفَ بُخلها مع حِرصِها
- قَرۡضًا حَسَنٗا: احتساباً بطيبة نفسٍ

مدّ ٦ حركات لزوماً — مدّ ٢ أو ٤ أو ٦ جوازاً	إخفاء، ومواقع الغنّة (حركتان)	تفخيم
مدّ واجب ٤ أو ٥ حركات — مدّ حركتان	إدغام، وما لا يُلفَظ	قلقلة

بِسْمِ ٱللَّهِ ٱلرَّحْمَٰنِ ٱلرَّحِيمِ

يَـٰٓأَيُّهَا ٱلنَّبِيُّ إِذَا طَلَّقْتُمُ ٱلنِّسَآءَ فَطَلِّقُوهُنَّ لِعِدَّتِهِنَّ وَأَحْصُوا۟

ٱلْعِدَّةَ ۖ وَٱتَّقُوا۟ ٱللَّهَ رَبَّكُمْ ۖ لَا تُخْرِجُوهُنَّ مِنۢ بُيُوتِهِنَّ

وَلَا يَخْرُجْنَ إِلَّآ أَن يَأْتِينَ بِفَـٰحِشَةٍ مُّبَيِّنَةٍ ۚ وَتِلْكَ حُدُودُ

ٱللَّهِ ۚ وَمَن يَتَعَدَّ حُدُودَ ٱللَّهِ فَقَدْ ظَلَمَ نَفْسَهُۥ ۚ لَا تَدْرِى لَعَلَّ

ٱللَّهَ يُحْدِثُ بَعْدَ ذَٰلِكَ أَمْرًا ﴿١﴾ فَإِذَا بَلَغْنَ أَجَلَهُنَّ فَأَمْسِكُوهُنَّ

بِمَعْرُوفٍ أَوْ فَارِقُوهُنَّ بِمَعْرُوفٍ وَأَشْهِدُوا۟ ذَوَىْ عَدْلٍ مِّنكُمْ

وَأَقِيمُوا۟ ٱلشَّهَـٰدَةَ لِلَّهِ ۚ ذَٰلِكُمْ يُوعَظُ بِهِۦ مَن كَانَ يُؤْمِنُ

بِٱللَّهِ وَٱلْيَوْمِ ٱلْـَٔاخِرِ ۚ وَمَن يَتَّقِ ٱللَّهَ يَجْعَل لَّهُۥ مَخْرَجًا ﴿٢﴾ وَيَرْزُقْهُ

مِنْ حَيْثُ لَا يَحْتَسِبُ ۚ وَمَن يَتَوَكَّلْ عَلَى ٱللَّهِ فَهُوَ حَسْبُهُۥٓ ۚ إِنَّ ٱللَّهَ

بَـٰلِغُ أَمْرِهِۦ ۚ قَدْ جَعَلَ ٱللَّهُ لِكُلِّ شَىْءٍ قَدْرًا ﴿٣﴾ وَٱلَّـٰٓـِٔى يَئِسْنَ

مِنَ ٱلْمَحِيضِ مِن نِّسَآئِكُمْ إِنِ ٱرْتَبْتُمْ فَعِدَّتُهُنَّ ثَلَـٰثَةُ أَشْهُرٍ

وَٱلَّـٰٓـِٔى لَمْ يَحِضْنَ ۚ وَأُو۟لَـٰتُ ٱلْأَحْمَالِ أَجَلُهُنَّ أَن يَضَعْنَ حَمْلَهُنَّ ۚ

وَمَن يَتَّقِ ٱللَّهَ يَجْعَل لَّهُۥ مِنْ أَمْرِهِۦ يُسْرًا ﴿٤﴾ ذَٰلِكَ أَمْرُ ٱللَّهِ أَنزَلَهُۥٓ

إِلَيْكُمْ ۚ وَمَن يَتَّقِ ٱللَّهَ يُكَفِّرْ عَنْهُ سَيِّـَٔاتِهِۦ وَيُعْظِمْ لَهُۥٓ أَجْرًا ﴿٥﴾

• أَحْصُوا۟ ٱلْعِدَّةَ
اضْبِطُوهَا
وَأَكْمِلُوهَا

• بِفَـٰحِشَةٍ مُّبَيِّنَةٍ
بِمَعْصِيَةٍ ظَاهِرَةٍ

• لَا يَحْتَسِبُ
لَا يَخْطُرُ بِبَالِهِ

• فَهُوَ حَسْبُهُۥ
كَافِيهِ مَا أَهَمَّهُ

• قَدْرًا
أَجَلًا يَنْتَهِي
إِلَيْهِ أَوْ تَقْدِيرًا

• يَئِسْنَ
ٱنْقَطَعَ رَجَاؤُهُنَّ

• ٱرْتَبْتُمْ
جَهِلْتُمْ مِقْدَارَ
عِدَّتِهِنَّ

• يُسْرًا
تَيْسِيرًا وَفَرَجًا

● مدّ ٦ حركات لزوماً	● مدّ ٢ أو ٤ أو ٦ جوازاً
● مدّ واجب ٤ أو ٥ حركات	● مدّ حركتان
● إخفاء ، ومواقع الغنّة (حركتان)	● تفخيم
● إدغام ، وما لا يُلفَظ	● قلقلة

أَسْكِنُوهُنَّ مِنْ حَيْثُ سَكَنتُم مِّن وُجْدِكُمْ وَلَا تُضَارُّوهُنَّ لِتُضَيِّقُوا
عَلَيْهِنَّ ۚ وَإِن كُنَّ أُولَٰتِ حَمْلٍ فَأَنفِقُوا عَلَيْهِنَّ حَتَّىٰ يَضَعْنَ حَمْلَهُنَّ ۚ
فَإِنْ أَرْضَعْنَ لَكُمْ فَآتُوهُنَّ أُجُورَهُنَّ ۖ وَأْتَمِرُوا بَيْنَكُم بِمَعْرُوفٍ ۖ وَإِن
تَعَاسَرْتُمْ فَسَتُرْضِعُ لَهُ أُخْرَىٰ ۝ لِيُنفِقْ ذُو سَعَةٍ مِّن سَعَتِهِ ۖ
وَمَن قُدِرَ عَلَيْهِ رِزْقُهُ فَلْيُنفِقْ مِمَّا آتَاهُ اللَّهُ ۚ لَا يُكَلِّفُ اللَّهُ نَفْسًا
إِلَّا مَا آتَاهَا ۚ سَيَجْعَلُ اللَّهُ بَعْدَ عُسْرٍ يُسْرًا ۝ وَكَأَيِّن مِّن قَرْيَةٍ
عَتَتْ عَنْ أَمْرِ رَبِّهَا وَرُسُلِهِ فَحَاسَبْنَاهَا حِسَابًا شَدِيدًا وَعَذَّبْنَاهَا
عَذَابًا نُّكْرًا ۝ فَذَاقَتْ وَبَالَ أَمْرِهَا وَكَانَ عَاقِبَةُ أَمْرِهَا خُسْرًا ۝
أَعَدَّ اللَّهُ لَهُمْ عَذَابًا شَدِيدًا ۖ فَاتَّقُوا اللَّهَ يَا أُولِي الْأَلْبَابِ الَّذِينَ آمَنُوا ۚ
قَدْ أَنزَلَ اللَّهُ إِلَيْكُمْ ذِكْرًا ۝ رَّسُولًا يَتْلُو عَلَيْكُمْ آيَاتِ اللَّهِ مُبَيِّنَاتٍ
لِّيُخْرِجَ الَّذِينَ آمَنُوا وَعَمِلُوا الصَّالِحَاتِ مِنَ الظُّلُمَاتِ إِلَى النُّورِ ۚ
وَمَن يُؤْمِن بِاللَّهِ وَيَعْمَلْ صَالِحًا يُدْخِلْهُ جَنَّاتٍ تَجْرِي مِن تَحْتِهَا
الْأَنْهَارُ خَالِدِينَ فِيهَا أَبَدًا ۖ قَدْ أَحْسَنَ اللَّهُ لَهُ رِزْقًا ۝ اللَّهُ الَّذِي خَلَقَ
سَبْعَ سَمَاوَاتٍ وَمِنَ الْأَرْضِ مِثْلَهُنَّ يَتَنَزَّلُ الْأَمْرُ بَيْنَهُنَّ لِتَعْلَمُوا أَنَّ
اللَّهَ عَلَىٰ كُلِّ شَيْءٍ قَدِيرٌ وَأَنَّ اللَّهَ قَدْ أَحَاطَ بِكُلِّ شَيْءٍ عِلْمًا ۝

وَجْدِكُمْ
وُسْعِكُمْ وَطَاقَتِكُمْ

وَأْتَمِرُوا بَيْنَكُم
تَشَاوَرُوا فِي
الأُجْرَة
وَالإِرْضَاع

تَعَاسَرْتُمْ
تَشَاحَنْتُمْ فِيهِمَا

ذُوسَعَةٍ
غَنِيٌّ وَطَاقَة

قُدِرَعَلَيْهِ
ضُيِّقَ عَلَيْه

كَأَيِّن
كَثِيرٌ

عَتَتْ
تَجَبَّرَتْ
وَتَكَبَّرَتْ

عَذَابًانُّكْرًا
مُنْكَرًا شَنِيعًا

وَبَالَأَمْرِهَا
سُوءَ عَاقِبَةِ عُتُوِّهَا

خُسْرًا
خُسْرَانًا وَهَلَاكًا

ذِكْرًا
قُرْآنًا

رَّسُولًا
محمدًا ﷺ
أَرْسَلَهُ الله رَسُولًا

يَتَنَزَّلُالْأَمْرُ
القَضَاء وَالقَدَر
أَو التَّدْبِير

| تفخيم | مدّ ٦ حركات لزوماً | إخفاء ، ومواقع الغُنَّة (حركتان) | مدّ ٢ أو ٤ أو ٦ جوازاً |
| قلقلة | مدّ واجب ٤ أو ٥ حركات | إدغام ، وما لا يُلفظ | مدّ حركتان |

سُورَةُ التَّحْرِيمِ

ترتيبها ٦٦ — آياتها ١٢

بِسۡمِ ٱللَّهِ ٱلرَّحۡمَٰنِ ٱلرَّحِيمِ

يَٰٓأَيُّهَا ٱلنَّبِيُّ لِمَ تُحَرِّمُ مَآ أَحَلَّ ٱللَّهُ لَكَۖ تَبۡتَغِي مَرۡضَاتَ أَزۡوَٰجِكَۚ وَٱللَّهُ
غَفُورٞ رَّحِيمٞ ١ قَدۡ فَرَضَ ٱللَّهُ لَكُمۡ تَحِلَّةَ أَيۡمَٰنِكُمۡۚ وَٱللَّهُ مَوۡلَىٰكُمۡۖ
وَهُوَ ٱلۡعَلِيمُ ٱلۡحَكِيمُ ٢ وَإِذۡ أَسَرَّ ٱلنَّبِيُّ إِلَىٰ بَعۡضِ أَزۡوَٰجِهِۦ حَدِيثٗا
فَلَمَّا نَبَّأَتۡ بِهِۦ وَأَظۡهَرَهُ ٱللَّهُ عَلَيۡهِ عَرَّفَ بَعۡضَهُۥ وَأَعۡرَضَ عَنۢ بَعۡضٖۖ
فَلَمَّا نَبَّأَهَا بِهِۦ قَالَتۡ مَنۡ أَنۢبَأَكَ هَٰذَاۖ قَالَ نَبَّأَنِيَ ٱلۡعَلِيمُ ٱلۡخَبِيرُ
٣ إِن تَتُوبَآ إِلَى ٱللَّهِ فَقَدۡ صَغَتۡ قُلُوبُكُمَاۖ وَإِن تَظَٰهَرَا عَلَيۡهِ
فَإِنَّ ٱللَّهَ هُوَ مَوۡلَىٰهُ وَجِبۡرِيلُ وَصَٰلِحُ ٱلۡمُؤۡمِنِينَۖ وَٱلۡمَلَٰٓئِكَةُ
بَعۡدَ ذَٰلِكَ ظَهِيرٌ ٤ عَسَىٰ رَبُّهُۥٓ إِن طَلَّقَكُنَّ أَن يُبۡدِلَهُۥٓ أَزۡوَٰجًا
خَيۡرٗا مِّنكُنَّ مُسۡلِمَٰتٖ مُّؤۡمِنَٰتٖ قَٰنِتَٰتٖ تَٰٓئِبَٰتٍ عَٰبِدَٰتٖ سَٰٓئِحَٰتٖ
ثَيِّبَٰتٖ وَأَبۡكَارٗا ٥ يَٰٓأَيُّهَا ٱلَّذِينَ ءَامَنُواْ قُوٓاْ أَنفُسَكُمۡ وَأَهۡلِيكُمۡ
نَارٗا وَقُودُهَا ٱلنَّاسُ وَٱلۡحِجَارَةُ عَلَيۡهَا مَلَٰٓئِكَةٌ غِلَاظٞ شِدَادٞ
لَّا يَعۡصُونَ ٱللَّهَ مَآ أَمَرَهُمۡ وَيَفۡعَلُونَ مَا يُؤۡمَرُونَ ٦ يَٰٓأَيُّهَا
ٱلَّذِينَ كَفَرُواْ لَا تَعۡتَذِرُواْ ٱلۡيَوۡمَۖ إِنَّمَا تُجۡزَوۡنَ مَا كُنتُمۡ تَعۡمَلُونَ ٧

ثلاثة أرباع الحزب ٥٦

تَبۡتَغِي	تطلُب
تَحِلَّةَ أَيۡمَٰنِكُمۡ	تحليلَها بالكفّارة
ٱللَّهُ مَوۡلَىٰكُمۡ	مُتولّي أُمورِكُم
نَبَّأَتۡ بِهِۦ	أخبرَتْ بِهِ
أَظۡهَرَهُ ٱللَّهُ عَلَيۡهِ	أطلعَهُ اللهُ تعالى عليْه
صَغَتۡ قُلُوبُكُمَا	مالَتْ عَن حقّه ﷺ عليكما
تَظَٰهَرَا عَلَيۡهِ	تتعاوَنا عليه بما يسوؤُه
هُوَ مَوۡلَىٰهُ	وليُّهُ وناصِرُه
ظَهِيرٌ	فوجٌ مُعينٌ لَه
قَٰنِتَٰتٖ	مُطيعاتٍ خاضعاتٍ لله
سَٰٓئِحَٰتٖ	مُهاجرات أو صائمات
قُوٓاْ أَنفُسَكُمۡ	جنّبُوها
غِلَاظٞ شِدَادٞ	قُساةٌ أقوياءُ

مدّ ٦ حركات لزوماً — مدّ ٢ أو ٤ أو ٦ جوازاً	إخفاء، ومواقع الغُنَّة (حركتان)	تفخيم
مدّ واجب ٤ أو ٥ حركات — مدّ حركتان	إدغام، وما لا يُلفَظ	قلقلة

يَٰٓأَيُّهَا ٱلَّذِينَ ءَامَنُواْ تُوبُوٓاْ إِلَى ٱللَّهِ تَوۡبَةٗ نَّصُوحًا عَسَىٰ رَبُّكُمۡ
أَن يُكَفِّرَ عَنكُمۡ سَيِّـَٔاتِكُمۡ وَيُدۡخِلَكُمۡ جَنَّٰتٖ تَجۡرِي
مِن تَحۡتِهَا ٱلۡأَنۡهَٰرُ يَوۡمَ لَا يُخۡزِي ٱللَّهُ ٱلنَّبِيَّ وَٱلَّذِينَ ءَامَنُواْ
مَعَهُۥۖ نُورُهُمۡ يَسۡعَىٰ بَيۡنَ أَيۡدِيهِمۡ وَبِأَيۡمَٰنِهِمۡ يَقُولُونَ رَبَّنَآ
أَتۡمِمۡ لَنَا نُورَنَا وَٱغۡفِرۡ لَنَآۖ إِنَّكَ عَلَىٰ كُلِّ شَيۡءٖ قَدِيرٞ ٨
يَٰٓأَيُّهَا ٱلنَّبِيُّ جَٰهِدِ ٱلۡكُفَّارَ وَٱلۡمُنَٰفِقِينَ وَٱغۡلُظۡ عَلَيۡهِمۡۚ
وَمَأۡوَىٰهُمۡ جَهَنَّمُۖ وَبِئۡسَ ٱلۡمَصِيرُ ٩ ضَرَبَ ٱللَّهُ مَثَلٗا
لِّلَّذِينَ كَفَرُواْ ٱمۡرَأَتَ نُوحٖ وَٱمۡرَأَتَ لُوطٖۖ كَانَتَا تَحۡتَ
عَبۡدَيۡنِ مِنۡ عِبَادِنَا صَٰلِحَيۡنِ فَخَانَتَاهُمَا فَلَمۡ يُغۡنِيَا عَنۡهُمَا
مِنَ ٱللَّهِ شَيۡـٔٗا وَقِيلَ ٱدۡخُلَا ٱلنَّارَ مَعَ ٱلدَّٰخِلِينَ ١٠
وَضَرَبَ ٱللَّهُ مَثَلٗا لِّلَّذِينَ ءَامَنُواْ ٱمۡرَأَتَ فِرۡعَوۡنَ إِذۡ
قَالَتۡ رَبِّ ٱبۡنِ لِي عِندَكَ بَيۡتٗا فِي ٱلۡجَنَّةِ وَنَجِّنِي مِن فِرۡعَوۡنَ
وَعَمَلِهِۦ وَنَجِّنِي مِنَ ٱلۡقَوۡمِ ٱلظَّٰلِمِينَ ١١ وَمَرۡيَمَ ٱبۡنَتَ
عِمۡرَٰنَ ٱلَّتِيٓ أَحۡصَنَتۡ فَرۡجَهَا فَنَفَخۡنَا فِيهِ مِن رُّوحِنَا
وَصَدَّقَتۡ بِكَلِمَٰتِ رَبِّهَا وَكُتُبِهِۦ وَكَانَتۡ مِنَ ٱلۡقَٰنِتِينَ ١٢

- تَوۡبَةٗ نَّصُوحًا: خالصةً أوْ صادقةً
- لَا يُخۡزِي ٱللَّهُ ٱلنَّبِيَّ: لاَ يُذِلُّهُ بل يُعِزُّهُ
- ٱغۡلُظۡ عَلَيۡهِمۡ: شدِّدْ أوْ اقسُ عليْهِمْ
- فَلَمۡ يُغۡنِيَا عَنۡهُمَا: فلَمْ يَدْفَعَا ولَمْ يَمْنَعَا عنهُمَا
- أَحۡصَنَتۡ فَرۡجَهَا: صَانَتْهُ من دَنَسِ المعصيةِ
- مِن رُّوحِنَا: رُوحاً من خَلْقِنَا «عيسى عليه السلام»
- مِنَ ٱلۡقَٰنِتِينَ: مِنَ القَوْمِ المُطِيعِينَ

مدّ ٦ حركات لزوماً ● مدّ ٢ أو ٤ أو ٦ جوازاً	● إخفاء، ومواقع الغُنَّة (حركتان)	● تفخيم
مدّ واجب ٤ أو ٥ حركات ● مدّ حركتان	● إدغام، وما لا يُلفَظ	● قلقلة

سُورَةُ الْمُلْكِ

ترتيبها ٦٧ — آياتها ٣٠

بِسْمِ اللَّهِ الرَّحْمَٰنِ الرَّحِيمِ

تَبَارَكَ الَّذِي بِيَدِهِ الْمُلْكُ وَهُوَ عَلَىٰ كُلِّ شَيْءٍ قَدِيرٌ ۝١ الَّذِي خَلَقَ الْمَوْتَ وَالْحَيَاةَ لِيَبْلُوَكُمْ أَيُّكُمْ أَحْسَنُ عَمَلًا ۚ وَهُوَ الْعَزِيزُ الْغَفُورُ ۝٢ الَّذِي خَلَقَ سَبْعَ سَمَاوَاتٍ طِبَاقًا ۖ مَّا تَرَىٰ فِي خَلْقِ الرَّحْمَٰنِ مِن تَفَاوُتٍ ۖ فَارْجِعِ الْبَصَرَ هَلْ تَرَىٰ مِن فُطُورٍ ۝٣ ثُمَّ ارْجِعِ الْبَصَرَ كَرَّتَيْنِ يَنقَلِبْ إِلَيْكَ الْبَصَرُ خَاسِئًا وَهُوَ حَسِيرٌ ۝٤ وَلَقَدْ زَيَّنَّا السَّمَاءَ الدُّنْيَا بِمَصَابِيحَ وَجَعَلْنَاهَا رُجُومًا لِّلشَّيَاطِينِ ۖ وَأَعْتَدْنَا لَهُمْ عَذَابَ السَّعِيرِ ۝٥ وَلِلَّذِينَ كَفَرُوا بِرَبِّهِمْ عَذَابُ جَهَنَّمَ ۖ وَبِئْسَ الْمَصِيرُ ۝٦ إِذَا أُلْقُوا فِيهَا سَمِعُوا لَهَا شَهِيقًا وَهِيَ تَفُورُ ۝٧ تَكَادُ تَمَيَّزُ مِنَ الْغَيْظِ ۖ كُلَّمَا أُلْقِيَ فِيهَا فَوْجٌ سَأَلَهُمْ خَزَنَتُهَا أَلَمْ يَأْتِكُمْ نَذِيرٌ ۝٨ قَالُوا بَلَىٰ قَدْ جَاءَنَا نَذِيرٌ فَكَذَّبْنَا وَقُلْنَا مَا نَزَّلَ اللَّهُ مِن شَيْءٍ إِنْ أَنتُمْ إِلَّا فِي ضَلَالٍ كَبِيرٍ ۝٩ وَقَالُوا لَوْ كُنَّا نَسْمَعُ أَوْ نَعْقِلُ مَا كُنَّا فِي أَصْحَابِ السَّعِيرِ ۝١٠ فَاعْتَرَفُوا بِذَنبِهِمْ فَسُحْقًا لِّأَصْحَابِ السَّعِيرِ ۝١١ إِنَّ الَّذِينَ يَخْشَوْنَ رَبَّهُم بِالْغَيْبِ لَهُم مَّغْفِرَةٌ وَأَجْرٌ كَبِيرٌ ۝١٢

تَبَرَّكَ الَّذِي: تَعَالَى أَوْ كَثُرَ خَيْرُهُ وَإِنْعَامُهُ

بِيَدِهِ الْمُلْكُ: الْأَمْرُ وَالنَّهْيُ وَالسُّلْطَانُ

خَلَقَ الْمَوْتَ: قَدَّرَهُ أَزَلًا

لِيَبْلُوَكُمْ: لِيَخْتَبِرَكُمْ

أَحْسَنُ عَمَلًا: أَصْوَبُ وَأَخْلَصُهُ

طِبَاقًا: كُلُّ سَمَاءٍ مُغَطِّيَةٌ عَلَى الْأُخْرَى

تَفَاوُتٍ: اخْتِلَافٍ وَعَدَمِ تَنَاسُبٍ

فُطُورٍ: صُدُوعٍ أَوْ خَلَلٍ

كَرَّتَيْنِ: رَجْعَةً بَعْدَ رَجْعَةٍ

خَاسِئًا: صَاغِرًا لِعَدَمِ وِجْدَانِ الْفُطُورِ

حَسِيرٌ: كَلِيلٌ مِنْ كَثْرَةِ الْمُرَاجَعَةِ

بِمَصَابِيحَ: كَوَاكِبَ مُضِيئَةٍ

رُجُومًا لِّلشَّيَاطِينِ: بِانْقِضَاضِ الشُّهُبِ مِنْهَا عَلَيْهِمْ

شَهِيقًا: صَوْتًا مُنْكَرًا

تَفُورُ: تَغْلِي بِهِمْ غَلَيَانَ الْقُدُورِ

تَكَادُ تَمَيَّزُ: تَتَقَطَّعُ وَتَتَفَرَّقُ

فَوْجٌ: جَمَاعَةٌ مِنَ الْكُفَّارِ

فَسُحْقًا: فَبُعْدًا مِنَ الرَّحْمَةِ وَالْكَرَامَةِ

● مَدّ ٦ حَرَكَات لُزُومًا	● إِخْفَاء ، وَمَوَاقِع الْغُنَّة (حَرَكَتَان)	● مَدّ ٢ أَو ٤ أَو ٦ جَوَازًا ● تَفْخِيم
● مَدّ وَاجِب ٤ أَو ٥ حَرَكَات	● إِدْغَام ، وَمَا لَا يُلْفَظ	● مَدّ حَرَكَتَان ● قَلْقَلَة

وَأَسِرُّوا۟ قَوْلَكُمْ أَوِ ٱجْهَرُوا۟ بِهِۦٓ ۖ إِنَّهُۥ عَلِيمٌۢ بِذَاتِ ٱلصُّدُورِ ﴿١٣﴾ أَلَا
يَعْلَمُ مَنْ خَلَقَ وَهُوَ ٱللَّطِيفُ ٱلْخَبِيرُ ﴿١٤﴾ هُوَ ٱلَّذِى جَعَلَ لَكُمُ
ٱلْأَرْضَ ذَلُولًا فَٱمْشُوا۟ فِى مَنَاكِبِهَا وَكُلُوا۟ مِن رِّزْقِهِۦ ۖ وَإِلَيْهِ ٱلنُّشُورُ
﴿١٥﴾ ءَأَمِنتُم مَّن فِى ٱلسَّمَآءِ أَن يَخْسِفَ بِكُمُ ٱلْأَرْضَ فَإِذَا هِىَ
تَمُورُ ﴿١٦﴾ أَمْ أَمِنتُم مَّن فِى ٱلسَّمَآءِ أَن يُرْسِلَ عَلَيْكُمْ حَاصِبًا ۖ
فَسَتَعْلَمُونَ كَيْفَ نَذِيرِ ﴿١٧﴾ وَلَقَدْ كَذَّبَ ٱلَّذِينَ مِن قَبْلِهِمْ فَكَيْفَ
كَانَ نَكِيرِ ﴿١٨﴾ أَوَلَمْ يَرَوْا۟ إِلَى ٱلطَّيْرِ فَوْقَهُمْ صَٰٓفَّٰتٍ وَيَقْبِضْنَ ۚ مَا
يُمْسِكُهُنَّ إِلَّا ٱلرَّحْمَٰنُ ۚ إِنَّهُۥ بِكُلِّ شَىْءٍۭ بَصِيرٌ ﴿١٩﴾ أَمَّنْ هَٰذَا ٱلَّذِى
هُوَ جُندٌ لَّكُمْ يَنصُرُكُم مِّن دُونِ ٱلرَّحْمَٰنِ ۚ إِنِ ٱلْكَٰفِرُونَ إِلَّا فِى غُرُورٍ
﴿٢٠﴾ أَمَّنْ هَٰذَا ٱلَّذِى يَرْزُقُكُمْ إِنْ أَمْسَكَ رِزْقَهُۥ ۚ بَل لَّجُّوا۟ فِى عُتُوٍّ
وَنُفُورٍ ﴿٢١﴾ أَفَمَن يَمْشِى مُكِبًّا عَلَىٰ وَجْهِهِۦٓ أَهْدَىٰٓ أَمَّن يَمْشِى سَوِيًّا
عَلَىٰ صِرَٰطٍ مُّسْتَقِيمٍ ﴿٢٢﴾ قُلْ هُوَ ٱلَّذِىٓ أَنشَأَكُمْ وَجَعَلَ لَكُمُ ٱلسَّمْعَ
وَٱلْأَبْصَٰرَ وَٱلْأَفْـِٔدَةَ ۖ قَلِيلًا مَّا تَشْكُرُونَ ﴿٢٣﴾ قُلْ هُوَ ٱلَّذِى ذَرَأَكُمْ
فِى ٱلْأَرْضِ وَإِلَيْهِ تُحْشَرُونَ ﴿٢٤﴾ وَيَقُولُونَ مَتَىٰ هَٰذَا ٱلْوَعْدُ إِن كُنتُمْ
صَٰدِقِينَ ﴿٢٥﴾ قُلْ إِنَّمَا ٱلْعِلْمُ عِندَ ٱللَّهِ وَإِنَّمَآ أَنَا۠ نَذِيرٌ مُّبِينٌ ﴿٢٦﴾

- **ٱلْأَرْضَ ذَلُولًا**: مُذلّلةً لَيّنةً سَهْلةً
- **إِلَيْهِ ٱلنُّشُورُ**: إليه تُبْعَثون من القُبور
- **يَخْسِفَ بِكُمُ**: يُغوِّرُ بكُمْ
- **كَانَ نَكِيرِ**: إنكاري عَليْهِمْ بالإهلاكِ
- **جُندٌ لَّكُمْ**: أعْوانٌ لكُم
- **لَّجُّوا۟ فِى عُتُوٍّ**: تَمادَوْا في اسْتكبارٍ وعِنادٍ
- **مُكِبًّا عَلَىٰ وَجْهِهِۦ**: ساقطاً عليه
- **يَمْشِى سَوِيًّا**: مُسْتوِياً مُنْتصِباً
- **ذَرَأَكُمْ**: خلَقكُمْ وبَثّكُمْ

مدّ ٦ حركات لزوماً ● مدّ ٢ أو ٤ أو ٦ جوازاً ● إخفاء، ومواقع الغُنَّة (حركتان) ● تفخيم ●
مدّ واجب ٤ أو ٥ حركات ● مدّ حركتان ● إدغام، وما لا يُلفَظ ● قلقلة ●

فَلَمَّا رَأَوۡهُ زُلۡفَةٗ سِيٓـَٔتۡ وُجُوهُ ٱلَّذِينَ كَفَرُواْ وَقِيلَ هَٰذَا ٱلَّذِي
كُنتُم بِهِۦ تَدَّعُونَ ٢٧ قُلۡ أَرَءَيۡتُمۡ إِنۡ أَهۡلَكَنِيَ ٱللَّهُ وَمَن مَّعِيَ
أَوۡ رَحِمَنَا فَمَن يُجِيرُ ٱلۡكَٰفِرِينَ مِنۡ عَذَابٍ أَلِيمٖ ٢٨ قُلۡ هُوَ
ٱلرَّحۡمَٰنُ ءَامَنَّا بِهِۦ وَعَلَيۡهِ تَوَكَّلۡنَاۖ فَسَتَعۡلَمُونَ مَنۡ هُوَ فِي ضَلَٰلٖ مُّبِينٖ
٢٩ قُلۡ أَرَءَيۡتُمۡ إِنۡ أَصۡبَحَ مَآؤُكُمۡ غَوۡرٗا فَمَن يَأۡتِيكُم بِمَآءٖ مَّعِينِۭ ٣٠

سُورَةُ القَلَمِ

ترتيبها ٦٨ — آياتها ٥٢

بِسۡمِ ٱللَّهِ ٱلرَّحۡمَٰنِ ٱلرَّحِيمِ

نٓۚ وَٱلۡقَلَمِ وَمَا يَسۡطُرُونَ ١ مَآ أَنتَ بِنِعۡمَةِ رَبِّكَ بِمَجۡنُونٖ ٢
وَإِنَّ لَكَ لَأَجۡرًا غَيۡرَ مَمۡنُونٖ ٣ وَإِنَّكَ لَعَلَىٰ خُلُقٍ عَظِيمٖ ٤
فَسَتُبۡصِرُ وَيُبۡصِرُونَ ٥ بِأَييِّكُمُ ٱلۡمَفۡتُونُ ٦ إِنَّ رَبَّكَ هُوَ
أَعۡلَمُ بِمَن ضَلَّ عَن سَبِيلِهِۦ وَهُوَ أَعۡلَمُ بِٱلۡمُهۡتَدِينَ ٧ فَلَا تُطِعِ
ٱلۡمُكَذِّبِينَ ٨ وَدُّواْ لَوۡ تُدۡهِنُ فَيُدۡهِنُونَ ٩ وَلَا تُطِعۡ كُلَّ
حَلَّافٖ مَّهِينٍ ١٠ هَمَّازٖ مَّشَّآءِۭ بِنَمِيمٖ ١١ مَّنَّاعٖ لِّلۡخَيۡرِ مُعۡتَدٍ
أَثِيمٍ ١٢ عُتُلِّۭ بَعۡدَ ذَٰلِكَ زَنِيمٍ ١٣ أَن كَانَ ذَا مَالٖ وَبَنِينَ
١٤ إِذَا تُتۡلَىٰ عَلَيۡهِ ءَايَٰتُنَا قَالَ أَسَٰطِيرُ ٱلۡأَوَّلِينَ ١٥

- رَأَوۡهُ زُلۡفَةٗ: رأوا العذاب قريباً منهم
- سِيٓـَٔتۡ: كُئبت واسودَّت غمّاً
- تَدَّعُونَ: تطلبون أن يُعجّل لكم
- أَرَءَيۡتُمۡ: أخبروني
- يُجِيرُ ٱلۡكَٰفِرِينَ: يُنجّيهم أو يَمنعُهم
- غَوۡرٗا: ذاهباً في الأرض لا يُنال
- بِمَآءٖ مَّعِينِۭ: جارٍ أو ظاهرٍ سهلِ التناول
- ٱلۡقَلَمِ: ما يُكتب بهِ
- مَا يَسۡطُرُونَ: ما يَكتُبونَ

ربع الحزب ٥٧

- غَيۡرَ مَمۡنُونٖ: غير مقطوع عنك
- بِأَييِّكُمُ ٱلۡمَفۡتُونُ: في أي طائفةٍ منكم المجنونُ
- تُدۡهِنُ: تُلاينُ وتصانعُ
- فَيُدۡهِنُونَ: فهم يُلاينونَ ويُصانِعُونَ
- حَلَّافٖ: كثيرِ الحلف بالباطلِ
- مَّهِينٍ: حقيرٍ في الرَّأي والتَّدبيرِ
- هَمَّازٖ: عيّابٍ أو مُغتابٍ للناس
- مَّشَّآءِۭ بِنَمِيمٖ: بالسِّعايةِ والإفسادِ بيْنَ الناس
- عُتُلِّۭ: فاحشٍ لئيمٍ
- زَنِيمٍ: دَعِيٍّ في قومِهِ
- أَسَٰطِيرُ ٱلۡأَوَّلِينَ: أباطيلُهُمُ المسطَّرةُ في كُتُبِهِمْ

مدّ ٦ حركات لزوماً — مدّ ٢ أو ٤ أو ٦ جوازاً	إخفاء، ومواقع الغُنَّة (حركتان)	تفخيم
مدّ واجب ٤ أو ٥ حركات — مدّ حركتان	إدغام، وما لا يُلفَظ	قلقلة

سَنَسِمُهُ عَلَى ٱلْخُرْطُومِ ﴿١٦﴾ إِنَّا بَلَوْنَـٰهُمْ كَمَا بَلَوْنَآ أَصْحَـٰبَ ٱلْجَنَّةِ إِذْ أَقْسَمُواْ

لَيَصْرِمُنَّهَا مُصْبِحِينَ ﴿١٧﴾ وَلَا يَسْتَثْنُونَ ﴿١٨﴾ فَطَافَ عَلَيْهَا طَآئِفٌ مِّن رَّبِّكَ

وَهُمْ نَآئِمُونَ ﴿١٩﴾ فَأَصْبَحَتْ كَٱلصَّرِيمِ ﴿٢٠﴾ فَتَنَادَوْاْ مُصْبِحِينَ ﴿٢١﴾ أَنِ

ٱغْدُواْ عَلَىٰ حَرْثِكُمْ إِن كُنتُمْ صَـٰرِمِينَ ﴿٢٢﴾ فَٱنطَلَقُواْ وَهُمْ يَتَخَـٰفَتُونَ ﴿٢٣﴾

أَن لَّا يَدْخُلَنَّهَا ٱلْيَوْمَ عَلَيْكُم مِّسْكِينٌ ﴿٢٤﴾ وَغَدَوْاْ عَلَىٰ حَرْدٍ قَـٰدِرِينَ ﴿٢٥﴾ فَلَمَّا

رَأَوْهَا قَالُوٓاْ إِنَّا لَضَآلُّونَ ﴿٢٦﴾ بَلْ نَحْنُ مَحْرُومُونَ ﴿٢٧﴾ قَالَ أَوْسَطُهُمْ أَلَمْ أَقُل

لَّكُمْ لَوْلَا تُسَبِّحُونَ ﴿٢٨﴾ قَالُواْ سُبْحَـٰنَ رَبِّنَآ إِنَّا كُنَّا ظَـٰلِمِينَ ﴿٢٩﴾ فَأَقْبَلَ

بَعْضُهُمْ عَلَىٰ بَعْضٍ يَتَلَـٰوَمُونَ ﴿٣٠﴾ قَالُواْ يَـٰوَيْلَنَآ إِنَّا كُنَّا طَـٰغِينَ ﴿٣١﴾ عَسَىٰ

رَبُّنَآ أَن يُبْدِلَنَا خَيْرًا مِّنْهَآ إِنَّآ إِلَىٰ رَبِّنَا رَٰغِبُونَ ﴿٣٢﴾ كَذَٰلِكَ ٱلْعَذَابُ ۖ وَلَعَذَابُ

ٱلْءَاخِرَةِ أَكْبَرُ ۚ لَوْ كَانُواْ يَعْلَمُونَ ﴿٣٣﴾ إِنَّ لِلْمُتَّقِينَ عِندَ رَبِّهِمْ جَنَّـٰتِ ٱلنَّعِيمِ

﴿٣٤﴾ أَفَنَجْعَلُ ٱلْمُسْلِمِينَ كَٱلْمُجْرِمِينَ ﴿٣٥﴾ مَا لَكُمْ كَيْفَ تَحْكُمُونَ ﴿٣٦﴾ أَمْ

لَكُمْ كِتَـٰبٌ فِيهِ تَدْرُسُونَ ﴿٣٧﴾ إِنَّ لَكُمْ فِيهِ لَمَا تَخَيَّرُونَ ﴿٣٨﴾ أَمْ لَكُمْ أَيْمَـٰنٌ

عَلَيْنَا بَـٰلِغَةٌ إِلَىٰ يَوْمِ ٱلْقِيَـٰمَةِ ۖ إِنَّ لَكُمْ لَمَا تَحْكُمُونَ ﴿٣٩﴾ سَلْهُمْ أَيُّهُم

بِذَٰلِكَ زَعِيمٌ ﴿٤٠﴾ أَمْ لَهُمْ شُرَكَآءُ فَلْيَأْتُواْ بِشُرَكَآئِهِمْ إِن كَانُواْ صَـٰدِقِينَ ﴿٤١﴾

يَوْمَ يُكْشَفُ عَن سَاقٍ وَيُدْعَوْنَ إِلَى ٱلسُّجُودِ فَلَا يَسْتَطِيعُونَ ﴿٤٢﴾

خَشِعَةً أَبْصَرُهُمْ تَرْهَقُهُمْ ذِلَّةٌ ۚ وَقَدْ كَانُوا يُدْعَوْنَ إِلَى ٱلسُّجُودِ وَهُمْ سَٰلِمُونَ ﴿٤٣﴾ فَذَرْنِي وَمَن يُكَذِّبُ بِهَٰذَا ٱلْحَدِيثِ ۖ سَنَسْتَدْرِجُهُم مِّنْ حَيْثُ لَا يَعْلَمُونَ ﴿٤٤﴾ وَأُمْلِي لَهُمْ ۚ إِنَّ كَيْدِي مَتِينٌ ﴿٤٥﴾ أَمْ تَسْـَٔلُهُمْ أَجْرًا فَهُم مِّن مَّغْرَمٍ مُّثْقَلُونَ ﴿٤٦﴾ أَمْ عِندَهُمُ ٱلْغَيْبُ فَهُمْ يَكْتُبُونَ ﴿٤٧﴾ فَٱصْبِرْ لِحُكْمِ رَبِّكَ وَلَا تَكُن كَصَاحِبِ ٱلْحُوتِ إِذْ نَادَىٰ وَهُوَ مَكْظُومٌ ﴿٤٨﴾ لَّوْلَا أَن تَدَٰرَكَهُ نِعْمَةٌ مِّن رَّبِّهِ لَنُبِذَ بِٱلْعَرَاءِ وَهُوَ مَذْمُومٌ ﴿٤٩﴾ فَٱجْتَبَٰهُ رَبُّهُ فَجَعَلَهُ مِنَ ٱلصَّٰلِحِينَ ﴿٥٠﴾ وَإِن يَكَادُ ٱلَّذِينَ كَفَرُوا لَيُزْلِقُونَكَ بِأَبْصَٰرِهِمْ لَمَّا سَمِعُوا ٱلذِّكْرَ وَيَقُولُونَ إِنَّهُ لَمَجْنُونٌ ﴿٥١﴾ وَمَا هُوَ إِلَّا ذِكْرٌ لِّلْعَٰلَمِينَ ﴿٥٢﴾

سُورَةُ الحَاقَّة

ترتيبها ٦٩ آياتها ٥٢

بِسْمِ ٱللَّهِ ٱلرَّحْمَٰنِ ٱلرَّحِيمِ

ٱلْحَاقَّةُ ﴿١﴾ مَا ٱلْحَاقَّةُ ﴿٢﴾ وَمَا أَدْرَىٰكَ مَا ٱلْحَاقَّةُ ﴿٣﴾ كَذَّبَتْ ثَمُودُ وَعَادٌ بِٱلْقَارِعَةِ ﴿٤﴾ فَأَمَّا ثَمُودُ فَأُهْلِكُوا بِٱلطَّاغِيَةِ ﴿٥﴾ وَأَمَّا عَادٌ فَأُهْلِكُوا بِرِيحٍ صَرْصَرٍ عَاتِيَةٍ ﴿٦﴾ سَخَّرَهَا عَلَيْهِمْ سَبْعَ لَيَالٍ وَثَمَٰنِيَةَ أَيَّامٍ حُسُومًا فَتَرَى ٱلْقَوْمَ فِيهَا صَرْعَىٰ كَأَنَّهُمْ أَعْجَازُ نَخْلٍ خَاوِيَةٍ ﴿٧﴾ فَهَلْ تَرَىٰ لَهُم مِّن بَاقِيَةٍ ﴿٨﴾

الحاشية اليمنى:

خَشِعَةً أَبْصَرُهُمْ ذَلِيلَةً مُنْكَسِرَةٌ

الحاشية اليسرى:

الحاقة

• تَرْهَقُهُمْ ذِلَّةٌ : يَغْشَاهُمْ ذُلٌّ وَخُسْرَانٌ

• فَذَرْنِي : دَعْنِي وَخَلِّنِي

• سَنَسْتَدْرِجُهُمْ : سَنُدْنِيهِمْ مِنَ الْعَذَابِ دَرَجَةً دَرَجَةً

• أُمْلِي لَهُمْ : أُمْهِلُهُمْ لِيَزْدَادُوا إِثْمًا

• مَغْرَمٍ : غَرَامَةٍ مَالِيَّةٍ

• مُثْقَلُونَ : مُكَلَّفُونَ حِمْلًا ثَقِيلًا

• مَكْظُومٌ : مَمْلُوءٌ غَيْظًا أَوْ غَمًّا

• لَنُبِذَ بِالْعَرَاءِ : لَطُرِحَ بِالْأَرْضِ الْفَضَاءِ الْمَهْلِكَةِ

• فَاجْتَبَاهُ رَبُّهُ : اصْطَفَاهُ بِعَوْدَةِ الْوَحْيِ إِلَيْهِ

• لَيُزْلِقُونَكَ : يُزِيلُونَ قَدَمَكَ فَيَرْمُونَكَ

• الْحَاقَّةُ : السَّاعَةُ يَتَحَقَّقُ فِيهَا مَا أُنْكِرُوهُ

• بِالْقَارِعَةِ : بِالْقِيَامَةِ تَقْرَعُ الْقُلُوبَ بِأَفْزَاعِهَا

• بِالطَّاغِيَةِ : بِالْعُقُوبَةِ الْمُجَاوِزَةِ لِلْحَدِّ فِي الشِّدَّةِ

• بِرِيحٍ صَرْصَرٍ : شَدِيدَةِ الْبَرْدِ أَوِ الصَّوْتِ

• عَاتِيَةٍ : شَدِيدَةِ الْعَصْفِ

• سَخَّرَهَا عَلَيْهِمْ : سَلَّطَهَا عَلَيْهِمْ

• حُسُومًا : مُتَتَابِعَاتٍ أَوْ مَشْؤُومَاتٍ

• أَعْجَازُ نَخْلٍ : جُذُوعُ نَخْلٍ بِلَا رُؤُوسٍ

• خَاوِيَةٍ : سَاقِطَةٍ أَوْ فَارِغَةٍ

الهامش السفلي:

● مَدّ ٦ حركات لزومًا ● مَدّ ٢ أو ٤ أو ٦ جوازًا
● مَدّ واجب ٤ أو ٥ حركات ● مَدّ حركتان
● إخفاء ، ومواقع الغُنَّة (حركتان)
● إدغام ، وما لا يُلفظ
● تفخيم
● قلقلة

وَجَآءَ فِرْعَوْنُ وَمَن قَبْلَهُ وَٱلْمُؤْتَفِكَـٰتُ بِٱلْخَاطِئَةِ ۝ فَعَصَوْاْ رَسُولَ

رَبِّهِمْ فَأَخَذَهُمْ أَخْذَةً رَّابِيَةً ۝ إِنَّا لَمَّا طَغَا ٱلْمَآءُ حَمَلْنَـٰكُمْ فِى ٱلْجَارِيَةِ

لِنَجْعَلَهَا لَكُمْ تَذْكِرَةً وَتَعِيَهَآ أُذُنٌ وَٰعِيَةٌ ۝ فَإِذَا نُفِخَ فِى ٱلصُّورِ

نَفْخَةٌ وَٰحِدَةٌ ۝ وَحُمِلَتِ ٱلْأَرْضُ وَٱلْجِبَالُ فَدُكَّتَا دَكَّةً وَٰحِدَةً ۝

فَيَوْمَئِذٍ وَقَعَتِ ٱلْوَاقِعَةُ ۝ وَٱنشَقَّتِ ٱلسَّمَآءُ فَهِىَ يَوْمَئِذٍ وَاهِيَةٌ

۝ وَٱلْمَلَكُ عَلَىٰٓ أَرْجَآئِهَا ۚ وَيَحْمِلُ عَرْشَ رَبِّكَ فَوْقَهُمْ يَوْمَئِذٍ ثَمَٰنِيَةٌ

۝ يَوْمَئِذٍ تُعْرَضُونَ لَا تَخْفَىٰ مِنكُمْ خَافِيَةٌ ۝ فَأَمَّا مَنْ أُوتِىَ

كِتَـٰبَهُۥ بِيَمِينِهِۦ فَيَقُولُ هَآؤُمُ ٱقْرَءُواْ كِتَـٰبِيَهْ ۝ إِنِّى ظَنَنتُ أَنِّى مُلَـٰقٍ

حِسَابِيَهْ ۝ فَهُوَ فِى عِيشَةٍ رَّاضِيَةٍ ۝ فِى جَنَّةٍ عَالِيَةٍ ۝

قُطُوفُهَا دَانِيَةٌ ۝ كُلُواْ وَٱشْرَبُواْ هَنِيٓـًٔا بِمَآ أَسْلَفْتُمْ فِى ٱلْأَيَّامِ

ٱلْخَالِيَةِ ۝ وَأَمَّا مَنْ أُوتِىَ كِتَـٰبَهُۥ بِشِمَالِهِۦ فَيَقُولُ يَـٰلَيْتَنِى لَمْ أُوتَ كِتَـٰبِيَهْ

۝ وَلَمْ أَدْرِ مَا حِسَابِيَهْ ۝ يَـٰلَيْتَهَا كَانَتِ ٱلْقَاضِيَةَ ۝ مَآ أَغْنَىٰ

عَنِّى مَالِيَهْ ۝ هَلَكَ عَنِّى سُلْطَـٰنِيَهْ ۝ خُذُوهُ فَغُلُّوهُ ۝ ثُمَّ ٱلْجَحِيمَ

صَلُّوهُ ۝ ثُمَّ فِى سِلْسِلَةٍ ذَرْعُهَا سَبْعُونَ ذِرَاعًا فَٱسْلُكُوهُ ۝ إِنَّهُۥ

كَانَ لَا يُؤْمِنُ بِٱللَّهِ ٱلْعَظِيمِ ۝ وَلَا يَحُضُّ عَلَىٰ طَعَامِ ٱلْمِسْكِينِ ۝

ٱلْمُؤْتَفِكَـٰتُ : قُرَى
قَوْمِ لُوطٍ (أَهْلُهَا)

بِٱلْخَاطِئَةِ : بِالْفَعَلَاتِ
ذَاتِ الْخَطَأِ الْجَسِيمِ

أَخْذَةً رَّابِيَةً :
زَائِدَةً فِى الشِّدَّةِ

ٱلْجَارِيَةِ : سَفِينَةِ نُوحٍ عَلَيْهِ السَّلَامُ

تَذْكِرَةً : عِبْرَةً وَعِظَةً

تَعِيَهَا : تَحْفَظُهَا

حُمِلَتِ ٱلْأَرْضُ :
رُفِعَتْ مِن مَكَانِهَا بِأَمْرِنَا

فَدُكَّتَا : فَدُقَّتَا
وَكُسِّرَتَا أَو فَسُوِّيَتَا

وَقَعَتِ ٱلْوَاقِعَةُ :
قَامَتِ الْقِيَامَةُ

ٱنشَقَّتِ ٱلسَّمَآءُ :
تَفَطَّرَتْ وَتَصَدَّعَتْ

وَاهِيَةٌ : ضَعِيفَةٌ مُتَدَاعِيَةٌ

أَرْجَآئِهَا : جَوَانِبِهَا وَأَطْرَافِهَا

هَآؤُمُ : خُذُوا أَو تَعَالَوْا

كِتَـٰبِيَهْ : كِتَابِى
وَالْهَاءُ لِلسَّكْتِ

قُطُوفُهَا دَانِيَةٌ :
ثِمَارُهَا سَهْلَةُ التَّنَاوُلِ

هَنِيٓـًٔا : غَيْرُ
مُنَغَّصٍ وَلَا مُكَدَّرٍ

كَانَتِ ٱلْقَاضِيَةَ :
الْمَوْتَةَ الْقَاطِعَةَ
لِأَمْرِى

مَآ أَغْنَىٰ عَنِّى :
مَا دَفَعَ الْعَذَابَ عَنِّى

مَالِيَهْ : مَا كَانَ
لِى مِن مَالٍ وَغَيْرِهِ

سُلْطَـٰنِيَهْ : حُجَّتِى
أَوْ تَسَلُّطِى وَقُوَّتِى

سَكْتَةٌ لَطِيفَةٌ
عَلَى هَاءِ
مَالِيَهْ

فَغُلُّوهُ :
فَقَيِّدُوهُ بِالْأَغْلَالِ

صَلُّوهُ : أَدْخِلُوهُ
أَو أَحْرِقُوهُ فِيهَا

فَٱسْلُكُوهُ : فَأَدْخِلُوهُ

لَا يَحُضُّ : لَا يَحُثُّ
وَلَا يُحَرِّضُ

● تَفْخِيم	● مَدّ ٦ حَرَكَات لُزُومًا	● إخْفَاء ، وَمَوَاقِع الغُنَّة (حَرَكَتَان)	● مَدّ ٢ أَو ٤ أَو ٦ جَوَازًا
● قَلْقَلَة	● مَدّ وَاجِب ٤ أَو ٥ حَرَكَات	● إدْغَام ، وَمَا لَا يُلْفَظ	● مَدّ حَرَكَتَان

فَلَيْسَ لَهُ الْيَوْمَ هَٰهُنَا حَمِيمٌ ﴿٣٥﴾ وَلَا طَعَامٌ إِلَّا مِنْ غِسْلِينٍ ﴿٣٦﴾ لَا يَأْكُلُهُ

إِلَّا الْخَاطِئُونَ ﴿٣٧﴾ فَلَا أُقْسِمُ بِمَا تُبْصِرُونَ ﴿٣٨﴾ وَمَا لَا تُبْصِرُونَ ﴿٣٩﴾

إِنَّهُ لَقَوْلُ رَسُولٍ كَرِيمٍ ﴿٤٠﴾ وَمَا هُوَ بِقَوْلِ شَاعِرٍ ۚ قَلِيلًا مَّا تُؤْمِنُونَ ﴿٤١﴾

وَلَا بِقَوْلِ كَاهِنٍ ۚ قَلِيلًا مَّا تَذَكَّرُونَ ﴿٤٢﴾ تَنزِيلٌ مِّن رَّبِّ الْعَالَمِينَ ﴿٤٣﴾ وَلَوْ

تَقَوَّلَ عَلَيْنَا بَعْضَ الْأَقَاوِيلِ ﴿٤٤﴾ لَأَخَذْنَا مِنْهُ بِالْيَمِينِ ﴿٤٥﴾ ثُمَّ لَقَطَعْنَا

مِنْهُ الْوَتِينَ ﴿٤٦﴾ فَمَا مِنكُم مِّنْ أَحَدٍ عَنْهُ حَاجِزِينَ ﴿٤٧﴾ وَإِنَّهُ لَتَذْكِرَةٌ

لِّلْمُتَّقِينَ ﴿٤٨﴾ وَإِنَّا لَنَعْلَمُ أَنَّ مِنكُم مُّكَذِّبِينَ ﴿٤٩﴾ وَإِنَّهُ لَحَسْرَةٌ عَلَى

الْكَافِرِينَ ﴿٥٠﴾ وَإِنَّهُ لَحَقُّ الْيَقِينِ ﴿٥١﴾ فَسَبِّحْ بِاسْمِ رَبِّكَ الْعَظِيمِ ﴿٥٢﴾

سُورَةُ الْمَعَارِج
ترتيبها ٧٠ — آياتها ٤٤

بِسْمِ اللَّهِ الرَّحْمَٰنِ الرَّحِيمِ

سَأَلَ سَائِلٌ بِعَذَابٍ وَاقِعٍ ﴿١﴾ لِّلْكَافِرِينَ لَيْسَ لَهُ دَافِعٌ ﴿٢﴾ مِّنَ

اللَّهِ ذِي الْمَعَارِجِ ﴿٣﴾ تَعْرُجُ الْمَلَائِكَةُ وَالرُّوحُ إِلَيْهِ فِي

يَوْمٍ كَانَ مِقْدَارُهُ خَمْسِينَ أَلْفَ سَنَةٍ ﴿٤﴾ فَاصْبِرْ صَبْرًا جَمِيلًا ﴿٥﴾

إِنَّهُمْ يَرَوْنَهُ بَعِيدًا ﴿٦﴾ وَنَرَاهُ قَرِيبًا ﴿٧﴾ يَوْمَ تَكُونُ السَّمَاءُ كَالْمُهْلِ

﴿٨﴾ وَتَكُونُ الْجِبَالُ كَالْعِهْنِ ﴿٩﴾ وَلَا يَسْأَلُ حَمِيمٌ حَمِيمًا ﴿١٠﴾

● مدّ ٦ حركات لزوماً	● مدّ ٢ أو ٤ أو ٦ جوازاً
● مدّ واجب ٤ أو ٥ حركات	● مدّ حركتان
● إخفاء ، ومواقع الغُنّة (حركتان)	● تفخيم
● إدغام ، وما لا يُلفَظ	● قلقلة

يُبَصَّرُونَهُمْ ۚ يَوَدُّ ٱلْمُجْرِمُ لَوْ يَفْتَدِى مِنْ عَذَابِ يَوْمِئِذٍۭ بِبَنِيهِ ﴿١١﴾
وَصَٰحِبَتِهِۦ وَأَخِيهِ ﴿١٢﴾ وَفَصِيلَتِهِ ٱلَّتِى تُـْٔوِيهِ ﴿١٣﴾ وَمَن فِى ٱلْأَرْضِ
جَمِيعًا ثُمَّ يُنجِيهِ ﴿١٤﴾ كَلَّآ ۖ إِنَّهَا لَظَىٰ ﴿١٥﴾ نَزَّاعَةً لِّلشَّوَىٰ ﴿١٦﴾ تَدْعُوا۟
مَنْ أَدْبَرَ وَتَوَلَّىٰ ﴿١٧﴾ وَجَمَعَ فَأَوْعَىٰٓ ﴿١٨﴾ ۞ إِنَّ ٱلْإِنسَٰنَ خُلِقَ هَلُوعًا
﴿١٩﴾ إِذَا مَسَّهُ ٱلشَّرُّ جَزُوعًا ﴿٢٠﴾ وَإِذَا مَسَّهُ ٱلْخَيْرُ مَنُوعًا ﴿٢١﴾ إِلَّا
ٱلْمُصَلِّينَ ﴿٢٢﴾ ٱلَّذِينَ هُمْ عَلَىٰ صَلَاتِهِمْ دَآئِمُونَ ﴿٢٣﴾ وَٱلَّذِينَ فِىٓ
أَمْوَٰلِهِمْ حَقٌّ مَّعْلُومٌ ﴿٢٤﴾ لِّلسَّآئِلِ وَٱلْمَحْرُومِ ﴿٢٥﴾ وَٱلَّذِينَ يُصَدِّقُونَ
بِيَوْمِ ٱلدِّينِ ﴿٢٦﴾ وَٱلَّذِينَ هُم مِّنْ عَذَابِ رَبِّهِم مُّشْفِقُونَ ﴿٢٧﴾ إِنَّ عَذَابَ
رَبِّهِمْ غَيْرُ مَأْمُونٍ ﴿٢٨﴾ وَٱلَّذِينَ هُمْ لِفُرُوجِهِمْ حَٰفِظُونَ ﴿٢٩﴾ إِلَّا عَلَىٰٓ
أَزْوَٰجِهِمْ أَوْ مَا مَلَكَتْ أَيْمَٰنُهُمْ فَإِنَّهُمْ غَيْرُ مَلُومِينَ ﴿٣٠﴾ فَمَنِ ٱبْتَغَىٰ وَرَآءَ
ذَٰلِكَ فَأُو۟لَٰٓئِكَ هُمُ ٱلْعَادُونَ ﴿٣١﴾ وَٱلَّذِينَ هُمْ لِأَمَٰنَٰتِهِمْ وَعَهْدِهِمْ رَٰعُونَ
﴿٣٢﴾ وَٱلَّذِينَ هُم بِشَهَٰدَٰتِهِمْ قَآئِمُونَ ﴿٣٣﴾ وَٱلَّذِينَ هُمْ عَلَىٰ صَلَاتِهِمْ يُحَافِظُونَ
﴿٣٤﴾ أُو۟لَٰٓئِكَ فِى جَنَّٰتٍ مُّكْرَمُونَ ﴿٣٥﴾ فَمَالِ ٱلَّذِينَ كَفَرُوا۟ قِبَلَكَ مُهْطِعِينَ
﴿٣٦﴾ عَنِ ٱلْيَمِينِ وَعَنِ ٱلشِّمَالِ عِزِينَ ﴿٣٧﴾ أَيَطْمَعُ كُلُّ ٱمْرِىٍٕ مِّنْهُمْ
أَن يُدْخَلَ جَنَّةَ نَعِيمٍ ﴿٣٨﴾ كَلَّآ ۖ إِنَّا خَلَقْنَٰهُم مِّمَّا يَعْلَمُونَ ﴿٣٩﴾

ثلاثة أرباع الحزب ٥٧

- يُبَصَّرُونَهُمْ: يُعَرَّفُونَ أحماءَهُم
- فَصِيلَتِهِ: عَشيرَتِهِ الأقْرَبِينَ
- تُؤْوِيهِ: تضُمُّهُ في النَّسَبِ أو عِنْدَ الشِّدةِ
- إِنَّهَا لَظَىٰ: جَهَنَّمُ أو طَبَقٌ منها
- نَزَّاعَةً لِّلشَّوَىٰ: قَلَّاعَةً للأطْرَافِ أو جِلدَةِ الرأسِ
- فَأَوْعَىٰٓ: أمسَكَ مالَهُ في وِعاء بُخْلاً
- هَلُوعًا: سريعَ الجَزَعِ، شَديدَ الحِرْصِ
- جَزُوعًا: كثيرَ الجَزَعِ والأَسَى
- مَنُوعًا: كثيرَ المَنْعِ والإمساكِ
- ٱلْمَحْرُومِ: من العطاء لتَعَفُّفِه عن السُّؤالِ
- مُّشْفِقُونَ: خائفُونَ
- ٱلْعَادُونَ: المُجاوِزُونَ الحَلالَ إلى الحرامِ
- مُهْطِعِينَ: مُسْرِعِينَ ومَادِّي أعْناقِهِمْ إليْكَ
- عِزِينَ: جَماعاتٍ متفرِّقينَ

مدّ ٦ حركات لزوماً ● مدّ ٢ أو ٤ أو ٦ جوازاً	إخفاء، ومواقع الغُنَّة (حركتان)	تفخيم
مدّ واجب ٤ أو ٥ حركات ● مدّ حركتان	إدغام، وما لا يُلفَظ	قلقلة

فَلَآ أُقۡسِمُ بِرَبِّ ٱلۡمَشَٰرِقِ وَٱلۡمَغَٰرِبِ إِنَّا لَقَٰدِرُونَ ﴿٤٠﴾ عَلَىٰٓ أَن نُّبَدِّلَ خَيۡرٗا مِّنۡهُمۡ
وَمَا نَحۡنُ بِمَسۡبُوقِينَ ﴿٤١﴾ فَذَرۡهُمۡ يَخُوضُواْ وَيَلۡعَبُواْ حَتَّىٰ يُلَٰقُواْ يَوۡمَهُمُ ٱلَّذِي
يُوعَدُونَ ﴿٤٢﴾ يَوۡمَ يَخۡرُجُونَ مِنَ ٱلۡأَجۡدَاثِ سِرَاعٗا كَأَنَّهُمۡ إِلَىٰ نُصُبٖ يُوفِضُونَ
﴿٤٣﴾ خَٰشِعَةً أَبۡصَٰرُهُمۡ تَرۡهَقُهُمۡ ذِلَّةٞۚ ذَٰلِكَ ٱلۡيَوۡمُ ٱلَّذِي كَانُواْ يُوعَدُونَ ﴿٤٤﴾

سُورَةُ نُوحٍ

ترتيبها ٧١ — آياتها ٢٨

بِسۡمِ ٱللَّهِ ٱلرَّحۡمَٰنِ ٱلرَّحِيمِ

إِنَّآ أَرۡسَلۡنَا نُوحًا إِلَىٰ قَوۡمِهِۦٓ أَنۡ أَنذِرۡ قَوۡمَكَ مِن قَبۡلِ أَن يَأۡتِيَهُمۡ
عَذَابٌ أَلِيمٞ ﴿١﴾ قَالَ يَٰقَوۡمِ إِنِّي لَكُمۡ نَذِيرٞ مُّبِينٌ ﴿٢﴾ أَنِ ٱعۡبُدُواْ
ٱللَّهَ وَٱتَّقُوهُ وَأَطِيعُونِ ﴿٣﴾ يَغۡفِرۡ لَكُم مِّن ذُنُوبِكُمۡ وَيُؤَخِّرۡكُمۡ
إِلَىٰٓ أَجَلٖ مُّسَمًّىۚ إِنَّ أَجَلَ ٱللَّهِ إِذَا جَآءَ لَا يُؤَخَّرُۖ لَوۡ كُنتُمۡ تَعۡلَمُونَ
﴿٤﴾ قَالَ رَبِّ إِنِّي دَعَوۡتُ قَوۡمِي لَيۡلٗا وَنَهَارٗا ﴿٥﴾ فَلَمۡ يَزِدۡهُمۡ دُعَآءِيٓ إِلَّا
فِرَارٗا ﴿٦﴾ وَإِنِّي كُلَّمَا دَعَوۡتُهُمۡ لِتَغۡفِرَ لَهُمۡ جَعَلُوٓاْ أَصَٰبِعَهُمۡ
فِيٓ ءَاذَانِهِمۡ وَٱسۡتَغۡشَوۡاْ ثِيَابَهُمۡ وَأَصَرُّواْ وَٱسۡتَكۡبَرُواْ ٱسۡتِكۡبَارٗا
﴿٧﴾ ثُمَّ إِنِّي دَعَوۡتُهُمۡ جِهَارٗا ﴿٨﴾ ثُمَّ إِنِّيٓ أَعۡلَنتُ لَهُمۡ وَأَسۡرَرۡتُ
لَهُمۡ إِسۡرَارٗا ﴿٩﴾ فَقُلۡتُ ٱسۡتَغۡفِرُواْ رَبَّكُمۡ إِنَّهُۥ كَانَ غَفَّارٗا ﴿١٠﴾

نوح

- فَذَرۡهُمۡ: فدعْهُمْ وخلِّهِمْ
- مِنَ ٱلۡأَجۡدَاثِ: من القبور
- سِرَاعٗا: مُسْرِعين إلى الدّاعي
- يُوفِضُونَ: يُسْرِعُون
- خَٰشِعَةً أَبۡصَٰرُهُمۡ: ذليلةٌ مُنكسرةٌ
- تَرۡهَقُهُمۡ ذِلَّةٞ: تغشاهُمْ مهانةٌ شديدةٌ
- أَجَلَ ٱللَّهِ: وقت مجيء عذابِهِ
- فِرَارٗا: تباعُداً ونفاراً عن الإيمانِ
- ٱسۡتَغۡشَوۡاْ ثِيَابَهُمۡ: بالغُوا في إظهار الكراهةِ للدعوةِ
- أَصَرُّواْ: تشدّدُوا وانهمَكوا في الكفرِ

مدّ ٦ حركات لزوماً — مدّ ٢ أو ٤ أو ٦ جوازاً	إخفاء ، ومواقع الغُنَّة (حركتان)	تفخيم
مدّ واجب ٤ أو ٥ حركات — مدّ حركتان	إدغام ، وما لا يُلفظ	قلقلة

يُرْسِلِ ٱلسَّمَآءَ عَلَيْكُم مِّدْرَارًا ۝ وَيُمْدِدْكُم بِأَمْوَٰلٍ وَبَنِينَ وَيَجْعَل لَّكُمْ جَنَّٰتٍ وَيَجْعَل لَّكُمْ أَنْهَٰرًا ۝ مَّا لَكُمْ لَا تَرْجُونَ لِلَّهِ وَقَارًا ۝ وَقَدْ خَلَقَكُمْ أَطْوَارًا ۝ أَلَمْ تَرَوْا۟ كَيْفَ خَلَقَ ٱللَّهُ سَبْعَ سَمَٰوَٰتٍ طِبَاقًا ۝ وَجَعَلَ ٱلْقَمَرَ فِيهِنَّ نُورًا وَجَعَلَ ٱلشَّمْسَ سِرَاجًا ۝ وَٱللَّهُ أَنۢبَتَكُم مِّنَ ٱلْأَرْضِ نَبَاتًا ۝ ثُمَّ يُعِيدُكُمْ فِيهَا وَيُخْرِجُكُمْ إِخْرَاجًا ۝ وَٱللَّهُ جَعَلَ لَكُمُ ٱلْأَرْضَ بِسَاطًا ۝ لِّتَسْلُكُوا۟ مِنْهَا سُبُلًا فِجَاجًا ۝ قَالَ نُوحٌ رَّبِّ إِنَّهُمْ عَصَوْنِي وَٱتَّبَعُوا۟ مَن لَّمْ يَزِدْهُ مَالُهُۥ وَوَلَدُهُۥٓ إِلَّا خَسَارًا ۝ وَمَكَرُوا۟ مَكْرًا كُبَّارًا ۝ وَقَالُوا۟ لَا تَذَرُنَّ ءَالِهَتَكُمْ وَلَا تَذَرُنَّ وَدًّا وَلَا سُوَاعًا وَلَا يَغُوثَ وَيَعُوقَ وَنَسْرًا ۝ وَقَدْ أَضَلُّوا۟ كَثِيرًا ۖ وَلَا تَزِدِ ٱلظَّٰلِمِينَ إِلَّا ضَلَٰلًا ۝ مِّمَّا خَطِيٓـَٰٔتِهِمْ أُغْرِقُوا۟ فَأُدْخِلُوا۟ نَارًا فَلَمْ يَجِدُوا۟ لَهُم مِّن دُونِ ٱللَّهِ أَنصَارًا ۝ وَقَالَ نُوحٌ رَّبِّ لَا تَذَرْ عَلَى ٱلْأَرْضِ مِنَ ٱلْكَٰفِرِينَ دَيَّارًا ۝ إِنَّكَ إِن تَذَرْهُمْ يُضِلُّوا۟ عِبَادَكَ وَلَا يَلِدُوٓا۟ إِلَّا فَاجِرًا كَفَّارًا ۝ رَّبِّ ٱغْفِرْ لِي وَلِوَٰلِدَيَّ وَلِمَن دَخَلَ بَيْتِيَ مُؤْمِنًا وَلِلْمُؤْمِنِينَ وَٱلْمُؤْمِنَٰتِ وَلَا تَزِدِ ٱلظَّٰلِمِينَ إِلَّا تَبَارًا ۝

يُرْسِلِ ٱلسَّمَآءَ
المطر الذي في السحاب

مِّدْرَارًا
غزيراً متتابعاً

لَا تَرْجُونَ لِلَّهِ
وَقَارًا : لا تخافون لله عظمة

خَلَقَكُمْ أَطْوَارًا
مُدَرَّجاً لكم في حالات مختلفة

سَمَٰوَٰتٍ طِبَاقًا
كل سماء مطبقة على الأخرى

نُورًا
مستفاداً من نور الشمس

ٱلشَّمْسَ سِرَاجًا
مصباحاً مُضيئاً

سُبُلًا فِجَاجًا
طرقاً واسعة

خَسَارًا
ضلالاً وطغياناً.

مَكْرًا كُبَّارًا
بالغ الغاية في الكبر

وَدًّا
صنم لكلب

سُوَاعًا
صنم لهذيل

يَغُوثَ
صنم لغطفان

يَعُوقَ
صنم لهمدان

نَسْرًا
صنم لآل ذي الكلاع من حمير

دَيَّارًا : أحداً يدور ويتحرك في الأرض

تَبَارًا : هَلاكاً

● تفخيم	● مدّ ٦ حركات لزوماً	● مدّ ٢ أو ٤ أو ٦ جوازاً
● قلقلة	● مدّ واجب ٤ أو ٥ حركات	● مدّ حركتان
	● إخفاء ، ومواقع الغُنّة (حركتان)	
	● إدغام ، وما لا يُلفَظ	

سُورَةُ الجِنّ

بِسْمِ اللَّهِ الرَّحْمَٰنِ الرَّحِيمِ

قُلْ أُوحِيَ إِلَيَّ أَنَّهُ اسْتَمَعَ نَفَرٌ مِّنَ الْجِنِّ فَقَالُوٓا إِنَّا سَمِعْنَا قُرْءَانًا عَجَبًا ۝ يَهْدِيٓ إِلَى الرُّشْدِ فَـَٔامَنَّا بِهِۦ ۖ وَلَن نُّشْرِكَ بِرَبِّنَآ أَحَدًا ۝ وَأَنَّهُۥ تَعَٰلَىٰ جَدُّ رَبِّنَا مَا اتَّخَذَ صَٰحِبَةً وَلَا وَلَدًا ۝ وَأَنَّهُۥ كَانَ يَقُولُ سَفِيهُنَا عَلَى اللَّهِ شَطَطًا ۝ وَأَنَّا ظَنَنَّآ أَن لَّن تَقُولَ الْإِنسُ وَالْجِنُّ عَلَى اللَّهِ كَذِبًا ۝ وَأَنَّهُۥ كَانَ رِجَالٌ مِّنَ الْإِنسِ يَعُوذُونَ بِرِجَالٍ مِّنَ الْجِنِّ فَزَادُوهُمْ رَهَقًا ۝ وَأَنَّهُمْ ظَنُّوا۟ كَمَا ظَنَنتُمْ أَن لَّن يَبْعَثَ اللَّهُ أَحَدًا ۝ وَأَنَّا لَمَسْنَا السَّمَآءَ فَوَجَدْنَٰهَا مُلِئَتْ حَرَسًا شَدِيدًا وَشُهُبًا ۝ وَأَنَّا كُنَّا نَقْعُدُ مِنْهَا مَقَٰعِدَ لِلسَّمْعِ ۖ فَمَن يَسْتَمِعِ الْـَٔانَ يَجِدْ لَهُۥ شِهَابًا رَّصَدًا ۝ وَأَنَّا لَا نَدْرِيٓ أَشَرٌّ أُرِيدَ بِمَن فِي الْأَرْضِ أَمْ أَرَادَ بِهِمْ رَبُّهُمْ رَشَدًا ۝ وَأَنَّا مِنَّا الصَّٰلِحُونَ وَمِنَّا دُونَ ذَٰلِكَ ۖ كُنَّا طَرَآئِقَ قِدَدًا ۝ وَأَنَّا ظَنَنَّآ أَن لَّن نُّعْجِزَ اللَّهَ فِي الْأَرْضِ وَلَن نُّعْجِزَهُۥ هَرَبًا ۝ وَأَنَّا لَمَّا سَمِعْنَا الْهُدَىٰٓ ءَامَنَّا بِهِۦ ۖ فَمَن يُؤْمِن بِرَبِّهِۦ فَلَا يَخَافُ بَخْسًا وَلَا رَهَقًا ۝

وَأَنَّا مِنَّا ٱلْمُسْلِمُونَ وَمِنَّا ٱلْقَٰسِطُونَ ۖ فَمَنْ أَسْلَمَ فَأُو۟لَٰٓئِكَ
تَحَرَّوْا۟ رَشَدًا ﴿١٤﴾ وَأَمَّا ٱلْقَٰسِطُونَ فَكَانُوا۟ لِجَهَنَّمَ حَطَبًا ﴿١٥﴾
وَأَلَّوِ ٱسْتَقَٰمُوا۟ عَلَى ٱلطَّرِيقَةِ لَأَسْقَيْنَٰهُم مَّآءً غَدَقًا ﴿١٦﴾ لِّنَفْتِنَهُمْ
فِيهِ ۚ وَمَن يُعْرِضْ عَن ذِكْرِ رَبِّهِۦ يَسْلُكْهُ عَذَابًا صَعَدًا ﴿١٧﴾ وَأَنَّ
ٱلْمَسَٰجِدَ لِلَّهِ فَلَا تَدْعُوا۟ مَعَ ٱللَّهِ أَحَدًا ﴿١٨﴾ وَأَنَّهُۥ لَمَّا قَامَ عَبْدُ ٱللَّهِ
يَدْعُوهُ كَادُوا۟ يَكُونُونَ عَلَيْهِ لِبَدًا ﴿١٩﴾ قُلْ إِنَّمَآ أَدْعُوا۟ رَبِّى وَلَآ أُشْرِكُ
بِهِۦٓ أَحَدًا ﴿٢٠﴾ قُلْ إِنِّى لَآ أَمْلِكُ لَكُمْ ضَرًّا وَلَا رَشَدًا ﴿٢١﴾ قُلْ إِنِّى
لَن يُجِيرَنِى مِنَ ٱللَّهِ أَحَدٌ وَلَنْ أَجِدَ مِن دُونِهِۦ مُلْتَحَدًا ﴿٢٢﴾ إِلَّا بَلَٰغًا
مِّنَ ٱللَّهِ وَرِسَٰلَٰتِهِۦ ۚ وَمَن يَعْصِ ٱللَّهَ وَرَسُولَهُۥ فَإِنَّ لَهُۥ نَارَ جَهَنَّمَ
خَٰلِدِينَ فِيهَآ أَبَدًا ﴿٢٣﴾ حَتَّىٰٓ إِذَا رَأَوْا۟ مَا يُوعَدُونَ فَسَيَعْلَمُونَ
مَنْ أَضْعَفُ نَاصِرًا وَأَقَلُّ عَدَدًا ﴿٢٤﴾ قُلْ إِنْ أَدْرِىٓ أَقَرِيبٌ
مَّا تُوعَدُونَ أَمْ يَجْعَلُ لَهُۥ رَبِّىٓ أَمَدًا ﴿٢٥﴾ عَٰلِمُ ٱلْغَيْبِ فَلَا
يُظْهِرُ عَلَىٰ غَيْبِهِۦٓ أَحَدًا ﴿٢٦﴾ إِلَّا مَنِ ٱرْتَضَىٰ مِن رَّسُولٍ فَإِنَّهُۥ
يَسْلُكُ مِنۢ بَيْنِ يَدَيْهِ وَمِنْ خَلْفِهِۦ رَصَدًا ﴿٢٧﴾ لِّيَعْلَمَ أَن قَدْ أَبْلَغُوا۟
رِسَٰلَٰتِ رَبِّهِمْ وَأَحَاطَ بِمَا لَدَيْهِمْ وَأَحْصَىٰ كُلَّ شَىْءٍ عَدَدًۢا ﴿٢٨﴾

- مِنَّا ٱلْقَٰسِطُونَ: الجائرونَ عَنْ طريقِ الحقّ
- لِجَهَنَّمَ حَطَبًا: وَقُوداً
- ٱلطَّرِيقَةِ: المِلّة الحنيفيّة
- مَّآءً غَدَقًا: غزيراً
- لِّنَفْتِنَهُمْ فِيهِ: لنَخْتبرَهُمْ فيما أعْطَيْنَاهُم
- يَسْلُكْهُ: يُدْخِلهُ
- عَذَابًا صَعَدًا: شاقّاً يَعْلُوهُ ويَغْلبُهُ
- عَلَيْهِ لِبَدًا: مُتَراكمين في ازدحامهم عليه
- لَن يُجِيرَنِى: لَنْ يمْنَعني ويُنْقذَني
- مُلْتَحَدًا: مَلْجأً أرْكَنُ إليه
- أَمَدًا: زَماناً بَعيداً
- رَصَدًا: حَرَساً من الملائكة يَحْرُسُونه
- أَحَاطَ: عَلِمَ عِلماً تاماً
- أَحْصَىٰ: ضَبَطَ ضَبْطاً كاملاً

مدّ ٦ حركات لزوماً ● مدّ ٢ أو ٤ أو ٦ جوازاً	إخفاء ، ومواقع الغُنَّة (حركتان)	تفخيم
مدّ واجب ٤ أو ٥ حركات ● مدّ حركتان	إدغام ، وما لا يُلفَظ	قلقلة

سُورَةُ الْمُزَّمِّلِ

ترتيبها ٧٣   آياتها ٢٠

بِسْمِ اللَّهِ الرَّحْمَٰنِ الرَّحِيمِ

يَا أَيُّهَا الْمُزَّمِّلُ ۝ قُمِ اللَّيْلَ إِلَّا قَلِيلًا ۝ نِصْفَهُ أَوِ انْقُصْ مِنْهُ قَلِيلًا ۝ أَوْ زِدْ عَلَيْهِ وَرَتِّلِ الْقُرْآنَ تَرْتِيلًا ۝ إِنَّا سَنُلْقِي عَلَيْكَ قَوْلًا ثَقِيلًا ۝ إِنَّ نَاشِئَةَ اللَّيْلِ هِيَ أَشَدُّ وَطْئًا وَأَقْوَمُ قِيلًا ۝ إِنَّ لَكَ فِي النَّهَارِ سَبْحًا طَوِيلًا ۝ وَاذْكُرِ اسْمَ رَبِّكَ وَتَبَتَّلْ إِلَيْهِ تَبْتِيلًا ۝ رَبُّ الْمَشْرِقِ وَالْمَغْرِبِ لَا إِلَٰهَ إِلَّا هُوَ فَاتَّخِذْهُ وَكِيلًا ۝ وَاصْبِرْ عَلَىٰ مَا يَقُولُونَ وَاهْجُرْهُمْ هَجْرًا جَمِيلًا ۝ وَذَرْنِي وَالْمُكَذِّبِينَ أُولِي النَّعْمَةِ وَمَهِّلْهُمْ قَلِيلًا ۝ إِنَّ لَدَيْنَا أَنكَالًا وَجَحِيمًا ۝ وَطَعَامًا ذَا غُصَّةٍ وَعَذَابًا أَلِيمًا ۝ يَوْمَ تَرْجُفُ الْأَرْضُ وَالْجِبَالُ وَكَانَتِ الْجِبَالُ كَثِيبًا مَهِيلًا ۝ إِنَّا أَرْسَلْنَا إِلَيْكُمْ رَسُولًا شَاهِدًا عَلَيْكُمْ كَمَا أَرْسَلْنَا إِلَىٰ فِرْعَوْنَ رَسُولًا ۝ فَعَصَىٰ فِرْعَوْنُ الرَّسُولَ فَأَخَذْنَاهُ أَخْذًا وَبِيلًا ۝ فَكَيْفَ تَتَّقُونَ إِن كَفَرْتُمْ يَوْمًا يَجْعَلُ الْوِلْدَانَ شِيبًا ۝ السَّمَاءُ مُنفَطِرٌ بِهِ ۚ كَانَ وَعْدُهُ مَفْعُولًا ۝ إِنَّ هَٰذِهِ تَذْكِرَةٌ ۖ فَمَن شَاءَ اتَّخَذَ إِلَىٰ رَبِّهِ سَبِيلًا ۝

إِنَّ رَبَّكَ يَعْلَمُ أَنَّكَ تَقُومُ أَدْنَىٰ مِن ثُلُثَيِ ٱلَّيْلِ وَنِصْفَهُۥ وَثُلُثَهُۥ وَطَآئِفَةٌ مِّنَ
ٱلَّذِينَ مَعَكَ ۚ وَٱللَّهُ يُقَدِّرُ ٱلَّيْلَ وَٱلنَّهَارَ ۚ عَلِمَ أَن لَّن تُحْصُوهُ فَتَابَ
عَلَيْكُمْ ۖ فَٱقْرَءُوا۟ مَا تَيَسَّرَ مِنَ ٱلْقُرْءَانِ ۚ عَلِمَ أَن سَيَكُونُ مِنكُم مَّرْضَىٰ
وَءَاخَرُونَ يَضْرِبُونَ فِى ٱلْأَرْضِ يَبْتَغُونَ مِن فَضْلِ ٱللَّهِ وَءَاخَرُونَ
يُقَٰتِلُونَ فِى سَبِيلِ ٱللَّهِ ۖ فَٱقْرَءُوا۟ مَا تَيَسَّرَ مِنْهُ ۚ وَأَقِيمُوا۟ ٱلصَّلَوٰةَ وَءَاتُوا۟
ٱلزَّكَوٰةَ وَأَقْرِضُوا۟ ٱللَّهَ قَرْضًا حَسَنًا ۚ وَمَا تُقَدِّمُوا۟ لِأَنفُسِكُم مِّنْ خَيْرٍ تَجِدُوهُ
عِندَ ٱللَّهِ هُوَ خَيْرًا وَأَعْظَمَ أَجْرًا ۚ وَٱسْتَغْفِرُوا۟ ٱللَّهَ ۖ إِنَّ ٱللَّهَ غَفُورٌ رَّحِيمٌۢ ٢٠

سورة المدثر

ترتيبها ٧٤ — آياتها ٥٦

بِسْمِ ٱللَّهِ ٱلرَّحْمَٰنِ ٱلرَّحِيمِ

يَٰٓأَيُّهَا ٱلْمُدَّثِّرُ ١ قُمْ فَأَنذِرْ ٢ وَرَبَّكَ فَكَبِّرْ ٣ وَثِيَابَكَ فَطَهِّرْ ٤
وَٱلرُّجْزَ فَٱهْجُرْ ٥ وَلَا تَمْنُن تَسْتَكْثِرُ ٦ وَلِرَبِّكَ فَٱصْبِرْ ٧
فَإِذَا نُقِرَ فِى ٱلنَّاقُورِ ٨ فَذَٰلِكَ يَوْمَئِذٍ يَوْمٌ عَسِيرٌ ٩ عَلَى ٱلْكَٰفِرِينَ
غَيْرُ يَسِيرٍ ١٠ ذَرْنِى وَمَنْ خَلَقْتُ وَحِيدًا ١١ وَجَعَلْتُ لَهُۥ مَالًا
مَّمْدُودًا ١٢ وَبَنِينَ شُهُودًا ١٣ وَمَهَّدتُّ لَهُۥ تَمْهِيدًا ١٤ ثُمَّ يَطْمَعُ
أَنْ أَزِيدَ ١٥ كَلَّآ ۖ إِنَّهُۥ كَانَ لِءَايَٰتِنَا عَنِيدًا ١٦ سَأُرْهِقُهُۥ صَعُودًا ١٧

ربع الحزب ٥٨

- لَن تُحْصُوهُ: لن تُطيقوا التقدير أو القيامَ
- فَٱقْرَءُوا۟ مَا تَيَسَّرَ: فصَلُّوا ما سَهُلَ عليكُم
- مِنَ ٱلْقُرْءَانِ: من صلاة اللّيل
- يَضْرِبُونَ: يُسافِرُونَ
- قَرْضًا حَسَنًا: احتساباً بِطيبَةِ نفْسٍ
- ٱلْمُدَّثِّرُ: المُتلَفِّفُ بِثِيابه
- رَبَّكَ فَكَبِّرْ: فعَظِّمْهُ
- ٱلرُّجْزَ: المآثم والمَعاصِيَ الموجِبَةَ للعذاب
- لَا تَمْنُن تَسْتَكْثِرُ: لا تُعْطِ، طالباً العِوَضَ مِمَّنْ تعطيه
- نُقِرَ فِى ٱلنَّاقُورِ: نُفِخَ فِي الصُّورِ للبَعْثِ
- ذَرْنِى: دَعْنِي
- مَالًا مَّمْدُودًا: كثيراً دائماً غيْرَ منْقَطِعٍ
- بَنِينَ شُهُودًا: حُضُوراً مَعَهُ، لايفارقونه للتَّكَسُّب
- مَهَّدتُّ لَهُۥ: بَسَطْتُ لَهُ الرِّيَاسَةَ والجَاهَ
- لِءَايَٰتِنَا عَنِيدًا: مُعانِداً جَاحِداً
- سَأُرْهِقُهُۥ صَعُودًا: سأُكلِّفه عذاباً شاقاً لا يُطاق

مدّ ٦ حركات لزوماً — مدّ ٢ أو ٤ أو ٦ جوازاً	إخفاء، ومواقع الغُنَّة (حركتان)	تفخيم
مدّ واجب ٤ أو ٥ حركات — مدّ حركتان	إدغام، وما لا يُلفَظ	قلقلة

إِنَّهُۥ فَكَّرَ وَقَدَّرَ ﴿١٨﴾ فَقُتِلَ كَيْفَ قَدَّرَ ﴿١٩﴾ ثُمَّ قُتِلَ كَيْفَ قَدَّرَ ﴿٢٠﴾ ثُمَّ نَظَرَ
﴿٢١﴾ ثُمَّ عَبَسَ وَبَسَرَ ﴿٢٢﴾ ثُمَّ أَدْبَرَ وَٱسْتَكْبَرَ ﴿٢٣﴾ فَقَالَ إِنْ هَٰذَآ إِلَّا سِحْرٌ
يُؤْثَرُ ﴿٢٤﴾ إِنْ هَٰذَآ إِلَّا قَوْلُ ٱلْبَشَرِ ﴿٢٥﴾ سَأُصْلِيهِ سَقَرَ ﴿٢٦﴾ وَمَآ أَدْرَىٰكَ
مَا سَقَرُ ﴿٢٧﴾ لَا تُبْقِى وَلَا تَذَرُ ﴿٢٨﴾ لَوَّاحَةٌ لِّلْبَشَرِ ﴿٢٩﴾ عَلَيْهَا تِسْعَةَ عَشَرَ
﴿٣٠﴾ وَمَا جَعَلْنَآ أَصْحَٰبَ ٱلنَّارِ إِلَّا مَلَٰٓئِكَةً وَمَا جَعَلْنَا عِدَّتَهُمْ إِلَّا فِتْنَةً
لِّلَّذِينَ كَفَرُوا۟ لِيَسْتَيْقِنَ ٱلَّذِينَ أُوتُوا۟ ٱلْكِتَٰبَ وَيَزْدَادَ ٱلَّذِينَ ءَامَنُوٓا۟ إِيمَٰنًا
وَلَا يَرْتَابَ ٱلَّذِينَ أُوتُوا۟ ٱلْكِتَٰبَ وَٱلْمُؤْمِنُونَ وَلِيَقُولَ ٱلَّذِينَ فِى قُلُوبِهِم مَّرَضٌ
وَٱلْكَٰفِرُونَ مَاذَآ أَرَادَ ٱللَّهُ بِهَٰذَا مَثَلًا ۚ كَذَٰلِكَ يُضِلُّ ٱللَّهُ مَن يَشَآءُ وَيَهْدِى
مَن يَشَآءُ ۚ وَمَا يَعْلَمُ جُنُودَ رَبِّكَ إِلَّا هُوَ ۚ وَمَا هِىَ إِلَّا ذِكْرَىٰ لِلْبَشَرِ ﴿٣١﴾ كَلَّا
وَٱلْقَمَرِ ﴿٣٢﴾ وَٱلَّيْلِ إِذْ أَدْبَرَ ﴿٣٣﴾ وَٱلصُّبْحِ إِذَآ أَسْفَرَ ﴿٣٤﴾ إِنَّهَا لَإِحْدَى
ٱلْكُبَرِ ﴿٣٥﴾ نَذِيرًا لِّلْبَشَرِ ﴿٣٦﴾ لِمَن شَآءَ مِنكُمْ أَن يَتَقَدَّمَ أَوْ يَتَأَخَّرَ ﴿٣٧﴾ كُلُّ
نَفْسٍۭ بِمَا كَسَبَتْ رَهِينَةٌ ﴿٣٨﴾ إِلَّآ أَصْحَٰبَ ٱلْيَمِينِ ﴿٣٩﴾ فِى جَنَّٰتٍ يَتَسَآءَلُونَ
﴿٤٠﴾ عَنِ ٱلْمُجْرِمِينَ ﴿٤١﴾ مَا سَلَكَكُمْ فِى سَقَرَ ﴿٤٢﴾ قَالُوا۟ لَمْ نَكُ مِنَ
ٱلْمُصَلِّينَ ﴿٤٣﴾ وَلَمْ نَكُ نُطْعِمُ ٱلْمِسْكِينَ ﴿٤٤﴾ وَكُنَّا نَخُوضُ مَعَ
ٱلْخَآئِضِينَ ﴿٤٥﴾ وَكُنَّا نُكَذِّبُ بِيَوْمِ ٱلدِّينِ ﴿٤٦﴾ حَتَّىٰٓ أَتَىٰنَا ٱلْيَقِينُ ﴿٤٧﴾

- قَدَّرَ: هيّأ في نفسه قولاً في القرآن والرّسول
- فَقُتِلَ: لُعِنَ أشدّ اللّعن
- نَظَرَ: تأمّل

المدثر

فيما قدّر وهيّأ
- عَبَسَ: قطّب وجهه
- بَسَرَ: زاد في العُبوس
- سِحْرٌ يُؤْثَرُ: يُروى ويُتعلّم من السّحرة
- سَأُصْلِيهِ سَقَرَ: سأدخله جهنّم
- لَوَّاحَةٌ لِّلْبَشَرِ: مُسوّدة للجلود ، مُحرقة لها
- إِذْ أَدْبَرَ: ولّى وذهب
- إِذَآ أَسْفَرَ: أضاء وانكشف
- لَإِحْدَى ٱلْكُبَرِ: لإحدى الدّواهي العظيمة
- رَهِينَةٌ: مَرْهُونة عنده تعالى
- مَا سَلَكَكُمْ: ما أدخلكم
- كُنَّا نَخُوضُ: كنّا نَشْرَع في الباطل
- بِيَوْمِ ٱلدِّينِ: بيوم الجزاء

مدّ ٦ حركات لزوماً — مدّ ٢ أو ٤ أو ٦ جوازاً	إخفاء ، ومواقع الغُنّة (حركتان)	تفخيم
مدّ واجب ٤ أو ٥ حركات — مدّ حركتان	إدغام ، وما لا يُلفظ	قلقلة

فَمَا تَنفَعُهُمْ شَفَاعَةُ ٱلشَّافِعِينَ ۝ فَمَا لَهُمْ عَنِ ٱلتَّذْكِرَةِ مُعْرِضِينَ ۝ كَأَنَّهُمْ حُمُرٌ مُّسْتَنفِرَةٌ ۝ فَرَّتْ مِن قَسْوَرَةٍ ۝ بَلْ يُرِيدُ كُلُّ ٱمْرِئٍ مِّنْهُمْ أَن يُؤْتَىٰ صُحُفًا مُّنَشَّرَةً ۝ كَلَّا ۖ بَل لَّا يَخَافُونَ ٱلْأَخِرَةَ ۝ كَلَّا إِنَّهُ تَذْكِرَةٌ ۝ فَمَن شَاءَ ذَكَرَهُ ۝ وَمَا يَذْكُرُونَ إِلَّا أَن يَشَاءَ ٱللَّهُ ۚ هُوَ أَهْلُ ٱلتَّقْوَىٰ وَأَهْلُ ٱلْمَغْفِرَةِ ۝

سورة القيامة

بِسْمِ ٱللَّهِ ٱلرَّحْمَٰنِ ٱلرَّحِيمِ

لَا أُقْسِمُ بِيَوْمِ ٱلْقِيَامَةِ ۝ وَلَا أُقْسِمُ بِٱلنَّفْسِ ٱللَّوَّامَةِ ۝ أَيَحْسَبُ ٱلْإِنسَانُ أَلَّن نَّجْمَعَ عِظَامَهُ ۝ بَلَىٰ قَادِرِينَ عَلَىٰ أَن نُّسَوِّيَ بَنَانَهُ ۝ بَلْ يُرِيدُ ٱلْإِنسَانُ لِيَفْجُرَ أَمَامَهُ ۝ يَسْأَلُ أَيَّانَ يَوْمُ ٱلْقِيَامَةِ ۝ فَإِذَا بَرِقَ ٱلْبَصَرُ ۝ وَخَسَفَ ٱلْقَمَرُ ۝ وَجُمِعَ ٱلشَّمْسُ وَٱلْقَمَرُ ۝ يَقُولُ ٱلْإِنسَانُ يَوْمَئِذٍ أَيْنَ ٱلْمَفَرُّ ۝ كَلَّا لَا وَزَرَ ۝ إِلَىٰ رَبِّكَ يَوْمَئِذٍ ٱلْمُسْتَقَرُّ ۝ يُنَبَّؤُا ٱلْإِنسَانُ يَوْمَئِذٍ بِمَا قَدَّمَ وَأَخَّرَ ۝ بَلِ ٱلْإِنسَانُ عَلَىٰ نَفْسِهِ بَصِيرَةٌ ۝ وَلَوْ أَلْقَىٰ مَعَاذِيرَهُ ۝ لَا تُحَرِّكْ بِهِ لِسَانَكَ لِتَعْجَلَ بِهِ ۝ إِنَّ عَلَيْنَا جَمْعَهُ وَقُرْآنَهُ ۝ فَإِذَا قَرَأْنَاهُ فَٱتَّبِعْ قُرْآنَهُ ۝ ثُمَّ إِنَّ عَلَيْنَا بَيَانَهُ ۝

٤٠

الإنسان

كَلَّا بَلْ تُحِبُّونَ الْعَاجِلَةَ ﴿٢٠﴾ وَتَذَرُونَ الْآخِرَةَ ﴿٢١﴾ وُجُوهٌ يَوْمَئِذٍ نَّاضِرَةٌ ﴿٢٢﴾ إِلَىٰ رَبِّهَا نَاظِرَةٌ ﴿٢٣﴾ وَوُجُوهٌ يَوْمَئِذٍ بَاسِرَةٌ ﴿٢٤﴾ تَظُنُّ أَن يُفْعَلَ بِهَا فَاقِرَةٌ ﴿٢٥﴾ كَلَّا إِذَا بَلَغَتِ التَّرَاقِيَ ﴿٢٦﴾ وَقِيلَ مَنْ ۜ رَاقٍ ﴿٢٧﴾ وَظَنَّ أَنَّهُ الْفِرَاقُ ﴿٢٨﴾ وَالْتَفَّتِ السَّاقُ بِالسَّاقِ ﴿٢٩﴾ إِلَىٰ رَبِّكَ يَوْمَئِذٍ الْمَسَاقُ ﴿٣٠﴾ فَلَا صَدَّقَ وَلَا صَلَّىٰ ﴿٣١﴾ وَلَٰكِن كَذَّبَ وَتَوَلَّىٰ ﴿٣٢﴾ ثُمَّ ذَهَبَ إِلَىٰ أَهْلِهِ يَتَمَطَّىٰ ﴿٣٣﴾ أَوْلَىٰ لَكَ فَأَوْلَىٰ ﴿٣٤﴾ ثُمَّ أَوْلَىٰ لَكَ فَأَوْلَىٰ ﴿٣٥﴾ أَيَحْسَبُ الْإِنسَانُ أَن يُتْرَكَ سُدًى ﴿٣٦﴾ أَلَمْ يَكُ نُطْفَةً مِّن مَّنِيٍّ يُمْنَىٰ ﴿٣٧﴾ ثُمَّ كَانَ عَلَقَةً فَخَلَقَ فَسَوَّىٰ ﴿٣٨﴾ فَجَعَلَ مِنْهُ الزَّوْجَيْنِ الذَّكَرَ وَالْأُنثَىٰ ﴿٣٩﴾ أَلَيْسَ ذَٰلِكَ بِقَادِرٍ عَلَىٰ أَن يُحْيِيَ الْمَوْتَىٰ ﴿٤٠﴾

سُورَةُ الإِنسَانِ
تَرْتِيبُهَا ٧٦ — آيَاتُهَا ٣١

بِسْمِ اللَّهِ الرَّحْمَٰنِ الرَّحِيمِ

هَلْ أَتَىٰ عَلَى الْإِنسَانِ حِينٌ مِّنَ الدَّهْرِ لَمْ يَكُن شَيْئًا مَّذْكُورًا ﴿١﴾ إِنَّا خَلَقْنَا الْإِنسَانَ مِن نُّطْفَةٍ أَمْشَاجٍ نَّبْتَلِيهِ فَجَعَلْنَاهُ سَمِيعًا بَصِيرًا ﴿٢﴾ إِنَّا هَدَيْنَاهُ السَّبِيلَ إِمَّا شَاكِرًا وَإِمَّا كَفُورًا ﴿٣﴾ إِنَّا أَعْتَدْنَا لِلْكَافِرِينَ سَلَاسِلَ وَأَغْلَالًا وَسَعِيرًا ﴿٤﴾ إِنَّ الْأَبْرَارَ يَشْرَبُونَ مِن كَأْسٍ كَانَ مِزَاجُهَا كَافُورًا ﴿٥﴾

| • مَدّ ٦ حَرَكَات لُزُومًا | • مَدّ ٢ أَوْ ٤ أَوْ ٦ جَوَازًا |
| • إِخْفَاء ، وَمَوَاقِع الغُنّة (حَرَكَتَانِ) |
| • مَدّ وَاجِب ٤ أَوْ ٥ حَرَكَات | • مَدّ حَرَكَتَانِ |
| • إِدْغَام ، وَمَا لَا يُلْفَظ |
| • تَفْخِيم |
| • قَلْقَلَة |

٤١

عَيْنًا يَشْرَبُ بِهَا عِبَادُ ٱللَّهِ يُفَجِّرُونَهَا تَفْجِيرًا ﴿٦﴾ يُوفُونَ بِٱلنَّذْرِ وَيَخَافُونَ
يَوْمًا كَانَ شَرُّهُۥ مُسْتَطِيرًا ﴿٧﴾ وَيُطْعِمُونَ ٱلطَّعَامَ عَلَىٰ حُبِّهِۦ مِسْكِينًا
وَيَتِيمًا وَأَسِيرًا ﴿٨﴾ إِنَّمَا نُطْعِمُكُمْ لِوَجْهِ ٱللَّهِ لَا نُرِيدُ مِنكُمْ جَزَآءً وَلَا شُكُورًا
﴿٩﴾ إِنَّا نَخَافُ مِن رَّبِّنَا يَوْمًا عَبُوسًا قَمْطَرِيرًا ﴿١٠﴾ فَوَقَىٰهُمُ ٱللَّهُ شَرَّ ذَٰلِكَ
ٱلْيَوْمِ وَلَقَّىٰهُمْ نَضْرَةً وَسُرُورًا ﴿١١﴾ وَجَزَىٰهُم بِمَا صَبَرُوا۟ جَنَّةً وَحَرِيرًا
﴿١٢﴾ مُّتَّكِـِٔينَ فِيهَا عَلَى ٱلْأَرَآئِكِ ۖ لَا يَرَوْنَ فِيهَا شَمْسًا وَلَا زَمْهَرِيرًا ﴿١٣﴾
وَدَانِيَةً عَلَيْهِمْ ظِلَٰلُهَا وَذُلِّلَتْ قُطُوفُهَا تَذْلِيلًا ﴿١٤﴾ وَيُطَافُ عَلَيْهِم بِـَٔانِيَةٍ
مِّن فِضَّةٍ وَأَكْوَابٍ كَانَتْ قَوَارِيرَا۠ ﴿١٥﴾ قَوَارِيرَا۟ مِن فِضَّةٍ قَدَّرُوهَا تَقْدِيرًا ﴿١٦﴾
وَيُسْقَوْنَ فِيهَا كَأْسًا كَانَ مِزَاجُهَا زَنجَبِيلًا ﴿١٧﴾ عَيْنًا فِيهَا تُسَمَّىٰ سَلْسَبِيلًا ﴿١٨﴾
۞ وَيَطُوفُ عَلَيْهِمْ وِلْدَٰنٌ مُّخَلَّدُونَ إِذَا رَأَيْتَهُمْ حَسِبْتَهُمْ لُؤْلُؤًا مَّنثُورًا
﴿١٩﴾ وَإِذَا رَأَيْتَ ثَمَّ رَأَيْتَ نَعِيمًا وَمُلْكًا كَبِيرًا ﴿٢٠﴾ عَٰلِيَهُمْ ثِيَابُ سُندُسٍ
خُضْرٌ وَإِسْتَبْرَقٌ ۖ وَحُلُّوٓا۟ أَسَاوِرَ مِن فِضَّةٍ وَسَقَىٰهُمْ رَبُّهُمْ شَرَابًا
طَهُورًا ﴿٢١﴾ إِنَّ هَٰذَا كَانَ لَكُمْ جَزَآءً وَكَانَ سَعْيُكُم مَّشْكُورًا ﴿٢٢﴾ إِنَّا
نَحْنُ نَزَّلْنَا عَلَيْكَ ٱلْقُرْءَانَ تَنزِيلًا ﴿٢٣﴾ فَٱصْبِرْ لِحُكْمِ رَبِّكَ وَلَا تُطِعْ
مِنْهُمْ ءَاثِمًا أَوْ كَفُورًا ﴿٢٤﴾ وَٱذْكُرِ ٱسْمَ رَبِّكَ بُكْرَةً وَأَصِيلًا ﴿٢٥﴾

ثلاثة أرباع الحزب ٥٨

- يُفَجِّرُونَهَا: يُجرونها حيثُ شاؤوا
- مُسْتَطِيرًا: مُنتشراً غايةَ الانتشار
- يَوْمًا عَبُوسًا: تَكلَحُ فيهِ الوُجوهُ لهَوْلِه
- قَمْطَرِيرًا: شديدَ العُبوس
- نَضْرَةً: حُسْناً وبَهْجةً في الوجوه
- ٱلْأَرَآئِكِ: السُّرُر في الحِجال (بيت العروس)
- زَمْهَرِيرًا: بَرْداً شديداً أو قمراً
- دَانِيَةً عَلَيْهِمْ ظِلَٰلُهَا: قريبةً مِنْهُم
- ذُلِّلَتْ قُطُوفُهَا: قُرِّبَتْ ثِمارُها
- أَكْوَابٍ: أقداح بلا عُرًا
- قَوَارِيرَا: كالزجاجات في الصَّفاء
- قَدَّرُوهَا: جعلوا شرابَها على قدْر الرِّيّ
- كَأْسًا: خمراً
- مِزَاجُهَا: ما تُمزَج به
- زَنجَبِيلًا: ماءً كالزَّنجبيل في أحسنِ أوصافه
- تُسَمَّىٰ سَلْسَبِيلًا: توصفُ بغاية السَّلاسة والانسياغ
- وِلْدَٰنٌ مُّخَلَّدُونَ: مُبقَوْنَ على هيئة الوِلْدان
- لُؤْلُؤًا مَّنثُورًا: مُتفرِّقاً غيرَ منظوم
- سُندُسٍ: ديباج رقيق
- إِسْتَبْرَقٌ: ديباج غليظ

مدّ ٦ حركات لزوماً	مدّ ٢ أو ٤ أو ٦ جوازاً	إخفاء، ومواقع الغنّة (حركتان)	تفخيم
مدّ واجب ٤ أو ٥ حركات	مدّ حركتان	إدغام، وما لا يُلفَظ	قلقلة

وَمِنَ ٱلَّيۡلِ فَٱسۡجُدۡ لَهُۥ وَسَبِّحۡهُ لَيۡلٗا طَوِيلًا ٢٦ إِنَّ
هَٰٓؤُلَآءِ يُحِبُّونَ ٱلۡعَاجِلَةَ وَيَذَرُونَ وَرَآءَهُمۡ يَوۡمٗا ثَقِيلٗا ٢٧ نَّحۡنُ
خَلَقۡنَٰهُمۡ وَشَدَدۡنَآ أَسۡرَهُمۡۖ وَإِذَا شِئۡنَا بَدَّلۡنَآ أَمۡثَٰلَهُمۡ تَبۡدِيلًا
٢٨ إِنَّ هَٰذِهِۦ تَذۡكِرَةٞۖ فَمَن شَآءَ ٱتَّخَذَ إِلَىٰ رَبِّهِۦ سَبِيلٗا ٢٩
وَمَا تَشَآءُونَ إِلَّآ أَن يَشَآءَ ٱللَّهُۚ إِنَّ ٱللَّهَ كَانَ عَلِيمًا حَكِيمٗا ٣٠
يُدۡخِلُ مَن يَشَآءُ فِي رَحۡمَتِهِۦۚ وَٱلظَّٰلِمِينَ أَعَدَّ لَهُمۡ عَذَابًا أَلِيمَۢا ٣١

سُورَةُ المُرۡسَلَاتِ

ترتيبها ٧٧ — آياتها ٥٠

بِسۡمِ ٱللَّهِ ٱلرَّحۡمَٰنِ ٱلرَّحِيمِ

وَٱلۡمُرۡسَلَٰتِ عُرۡفٗا ١ فَٱلۡعَٰصِفَٰتِ عَصۡفٗا ٢ وَٱلنَّٰشِرَٰتِ نَشۡرٗا ٣
فَٱلۡفَٰرِقَٰتِ فَرۡقٗا ٤ فَٱلۡمُلۡقِيَٰتِ ذِكۡرًا ٥ عُذۡرًا أَوۡ نُذۡرًا ٦ إِنَّمَا
تُوعَدُونَ لَوَٰقِعٞ ٧ فَإِذَا ٱلنُّجُومُ طُمِسَتۡ ٨ وَإِذَا ٱلسَّمَآءُ فُرِجَتۡ
٩ وَإِذَا ٱلۡجِبَالُ نُسِفَتۡ ١٠ وَإِذَا ٱلرُّسُلُ أُقِّتَتۡ ١١ لِأَيِّ يَوۡمٍ أُجِّلَتۡ
١٢ لِيَوۡمِ ٱلۡفَصۡلِ ١٣ وَمَآ أَدۡرَىٰكَ مَا يَوۡمُ ٱلۡفَصۡلِ ١٤ وَيۡلٞ يَوۡمَئِذٖ
لِّلۡمُكَذِّبِينَ ١٥ أَلَمۡ نُهۡلِكِ ٱلۡأَوَّلِينَ ١٦ ثُمَّ نُتۡبِعُهُمُ ٱلۡأٓخِرِينَ
١٧ كَذَٰلِكَ نَفۡعَلُ بِٱلۡمُجۡرِمِينَ ١٨ وَيۡلٞ يَوۡمَئِذٖ لِّلۡمُكَذِّبِينَ ١٩

- يَوۡمٗا ثَقِيلٗا: شَديدَ الأهْوالِ (يَوْمَ القِيامَةِ)
- شَدَدۡنَآ أَسۡرَهُمۡ: أحْكَمْنا خَلْقَهُمْ
- ٱلۡمُرۡسَلَٰتِ عُرۡفٗا: رِياحُ العَذابِ مُتَتابِعَةً
- فَٱلۡعَٰصِفَٰتِ: الرِّياحِ الشَّديدَةِ الهُبُوبِ

المرسلات

- ٱلنَّٰشِرَٰتِ: المَلائِكَةِ تَنْشُرُ أجْنِحَتَها في الجَوِّ
- فَٱلۡفَٰرِقَٰتِ: الملائكةِ تَفْرُقُ بالوَحْيِ بيْنَ الحَقِّ والْباطِلِ
- ذِكۡرًا: وَحْياً إلى الأنْبِياءِ والرُّسُلِ
- عُذۡرًا: لإزالَةِ الأعْذارِ
- نُذۡرًا: للإنْذارِ والتَّخْويفِ بالعِقابِ
- ٱلنُّجُومُ طُمِسَتۡ: مُحِيَ نُورُهَا
- ٱلسَّمَآءُ فُرِجَتۡ: فُتِحَتْ؛ فكانَتْ أبْواباً
- ٱلۡجِبَالُ نُسِفَتۡ: قُلِعَتْ مِنْ أماكِنِها
- ٱلرُّسُلُ أُقِّتَتۡ: بَلَغَتْ مِيقاتَها المُنْتَظَرَ
- لِيَوۡمِ ٱلۡفَصۡلِ: بينَ الحَقِّ والْباطِلِ
- وَيۡلٞ يَوۡمَئِذٖ: هَلاكٌ في ذلكَ اليَوْمِ

مدّ ٦ حركات لزوماً — مدّ ٢ أو ٤ أو ٦ جوازاً	إخفاء، ومواقع الغُنَّة (حركتان)	تفخيم
مدّ واجب ٤ أو ٥ حركات — مدّ حركتان	إدغام، وما لا يُلفَظ	قلقلة

أَلَمْ نَخْلُقكُّم مِّن مَّآءٍ مَّهِينٍ ﴿٢٠﴾ فَجَعَلْنَٰهُ فِى قَرَارٍ مَّكِينٍ ﴿٢١﴾ إِلَىٰ قَدَرٍ
مَّعْلُومٍ ﴿٢٢﴾ فَقَدَرْنَا فَنِعْمَ ٱلْقَٰدِرُونَ ﴿٢٣﴾ وَيْلٌ يَوْمَئِذٍ لِّلْمُكَذِّبِينَ ﴿٢٤﴾
أَلَمْ نَجْعَلِ ٱلْأَرْضَ كِفَاتًا ﴿٢٥﴾ أَحْيَآءً وَأَمْوَٰتًا ﴿٢٦﴾ وَجَعَلْنَا فِيهَا رَوَٰسِىَ
شَٰمِخَٰتٍ وَأَسْقَيْنَٰكُم مَّآءً فُرَاتًا ﴿٢٧﴾ وَيْلٌ يَوْمَئِذٍ لِّلْمُكَذِّبِينَ ﴿٢٨﴾
ٱنطَلِقُوٓا۟ إِلَىٰ مَا كُنتُم بِهِۦ تُكَذِّبُونَ ﴿٢٩﴾ ٱنطَلِقُوٓا۟ إِلَىٰ ظِلٍّ ذِى ثَلَٰثِ
شُعَبٍ ﴿٣٠﴾ لَّا ظَلِيلٍ وَلَا يُغْنِى مِنَ ٱللَّهَبِ ﴿٣١﴾ إِنَّهَا تَرْمِى بِشَرَرٍ
كَٱلْقَصْرِ ﴿٣٢﴾ كَأَنَّهُۥ جِمَٰلَتٌ صُفْرٌ ﴿٣٣﴾ وَيْلٌ يَوْمَئِذٍ لِّلْمُكَذِّبِينَ ﴿٣٤﴾
هَٰذَا يَوْمُ لَا يَنطِقُونَ ﴿٣٥﴾ وَلَا يُؤْذَنُ لَهُمْ فَيَعْتَذِرُونَ ﴿٣٦﴾ وَيْلٌ يَوْمَئِذٍ
لِّلْمُكَذِّبِينَ ﴿٣٧﴾ هَٰذَا يَوْمُ ٱلْفَصْلِ ۖ جَمَعْنَٰكُمْ وَٱلْأَوَّلِينَ ﴿٣٨﴾ فَإِن كَانَ
لَكُمْ كَيْدٌ فَكِيدُونِ ﴿٣٩﴾ وَيْلٌ يَوْمَئِذٍ لِّلْمُكَذِّبِينَ ﴿٤٠﴾ إِنَّ ٱلْمُتَّقِينَ فِى
ظِلَٰلٍ وَعُيُونٍ ﴿٤١﴾ وَفَوَٰكِهَ مِمَّا يَشْتَهُونَ ﴿٤٢﴾ كُلُوا۟ وَٱشْرَبُوا۟ هَنِيٓـًٔا
بِمَا كُنتُمْ تَعْمَلُونَ ﴿٤٣﴾ إِنَّا كَذَٰلِكَ نَجْزِى ٱلْمُحْسِنِينَ ﴿٤٤﴾ وَيْلٌ يَوْمَئِذٍ
لِّلْمُكَذِّبِينَ ﴿٤٥﴾ كُلُوا۟ وَتَمَتَّعُوا۟ قَلِيلًا إِنَّكُم مُّجْرِمُونَ ﴿٤٦﴾ وَيْلٌ يَوْمَئِذٍ
لِّلْمُكَذِّبِينَ ﴿٤٧﴾ وَإِذَا قِيلَ لَهُمُ ٱرْكَعُوا۟ لَا يَرْكَعُونَ ﴿٤٨﴾ وَيْلٌ
يَوْمَئِذٍ لِّلْمُكَذِّبِينَ ﴿٤٩﴾ فَبِأَىِّ حَدِيثٍ بَعْدَهُۥ يُؤْمِنُونَ ﴿٥٠﴾

- **مَّآءٍ مَّهِينٍ**: مَنِيٍّ ضَعِيفٍ حَقِيرٍ
- **قَرَارٍ مَّكِينٍ**: مُتَمَكِّنٍ، وهُوَ الرَّحِمُ
- **فَقَدَرْنَا**: فقَدَّرْنَا ذلكَ تَقْدِيراً
- **ٱلْأَرْضَ كِفَاتًا**: وِعَاءً تضُمُّ الأحياءَ والأمواتَ
- **رَوَٰسِىَ شَٰمِخَٰتٍ**: جِبَالاً ثَوابِتَ عالِيَاتٍ
- **مَّآءً فُرَاتًا**: شديدَ العُذُوبَةِ
- **ظِلٍّ**: هو دخانُ جهَنَّم
- **ثَلَٰثِ شُعَبٍ**: فِرَقٍ ثَلاثٍ كالذَّوائبِ
- **لَّا ظَلِيلٍ**: لا مُظَلِّلٍ من الحرِّ
- **لَا يُغْنِى مِنَ ٱللَّهَبِ**: لا يَدْفَعُ عَنْهُم شيئاً مِنْهُ
- **تَرْمِى بِشَرَرٍ**: هو ما تطايَرَ من النار
- **كَٱلْقَصْرِ**: كالْبِناءِ الْعظيم
- **جِمَٰلَتٌ صُفْرٌ**: إِبِلٌ صُفْرٌ أو سودٌ وهي تضْرِبُ إلى الصفرة
- **كَيْدٌ**: حِيلَةٌ لاتِّقاءِ العذابِ

مدّ ٦ حركات لزوماً ● مدّ ٢ أو ٤ أو ٦ جوازاً	إخفاء، ومواقع الغُنَّة (حركتان)	تفخيم
مدّ واجب ٤ أو ٥ حركات ● مدّ حركتان	إدغام، وما لا يُلفَظ	قلقلة

سُورَةُ النَّبَإِ

ترتيبها ٧٨ — آياتها ٤٠

بِسْمِ ٱللَّهِ ٱلرَّحْمَٰنِ ٱلرَّحِيمِ

عَمَّ يَتَسَآءَلُونَ ﴿١﴾ عَنِ ٱلنَّبَإِ ٱلْعَظِيمِ ﴿٢﴾ ٱلَّذِى هُمْ فِيهِ مُخْتَلِفُونَ ﴿٣﴾
كَلَّا سَيَعْلَمُونَ ﴿٤﴾ ثُمَّ كَلَّا سَيَعْلَمُونَ ﴿٥﴾ أَلَمْ نَجْعَلِ ٱلْأَرْضَ مِهَٰدًا ﴿٦﴾
وَٱلْجِبَالَ أَوْتَادًا ﴿٧﴾ وَخَلَقْنَٰكُمْ أَزْوَٰجًا ﴿٨﴾ وَجَعَلْنَا نَوْمَكُمْ سُبَاتًا
﴿٩﴾ وَجَعَلْنَا ٱلَّيْلَ لِبَاسًا ﴿١٠﴾ وَجَعَلْنَا ٱلنَّهَارَ مَعَاشًا ﴿١١﴾ وَبَنَيْنَا
فَوْقَكُمْ سَبْعًا شِدَادًا ﴿١٢﴾ وَجَعَلْنَا سِرَاجًا وَهَّاجًا ﴿١٣﴾ وَأَنزَلْنَا
مِنَ ٱلْمُعْصِرَٰتِ مَآءً ثَجَّاجًا ﴿١٤﴾ لِّنُخْرِجَ بِهِۦ حَبًّا وَنَبَاتًا ﴿١٥﴾ وَجَنَّٰتٍ
أَلْفَافًا ﴿١٦﴾ إِنَّ يَوْمَ ٱلْفَصْلِ كَانَ مِيقَٰتًا ﴿١٧﴾ يَوْمَ يُنفَخُ فِى ٱلصُّورِ
فَتَأْتُونَ أَفْوَاجًا ﴿١٨﴾ وَفُتِحَتِ ٱلسَّمَآءُ فَكَانَتْ أَبْوَٰبًا ﴿١٩﴾ وَسُيِّرَتِ
ٱلْجِبَالُ فَكَانَتْ سَرَابًا ﴿٢٠﴾ إِنَّ جَهَنَّمَ كَانَتْ مِرْصَادًا ﴿٢١﴾ لِّلطَّٰغِينَ
مَـَٔابًا ﴿٢٢﴾ لَّٰبِثِينَ فِيهَآ أَحْقَابًا ﴿٢٣﴾ لَّا يَذُوقُونَ فِيهَا بَرْدًا وَلَا شَرَابًا
﴿٢٤﴾ إِلَّا حَمِيمًا وَغَسَّاقًا ﴿٢٥﴾ جَزَآءً وِفَاقًا ﴿٢٦﴾ إِنَّهُمْ كَانُوا۟
لَا يَرْجُونَ حِسَابًا ﴿٢٧﴾ وَكَذَّبُوا۟ بِـَٔايَٰتِنَا كِذَّابًا ﴿٢٨﴾ وَكُلَّ شَىْءٍ
أَحْصَيْنَٰهُ كِتَٰبًا ﴿٢٩﴾ فَذُوقُوا۟ فَلَن نَّزِيدَكُمْ إِلَّا عَذَابًا ﴿٣٠﴾

الجزء ٣٠ — الحزب ٥٩

النبأ

- النَّبَإِ الْعَظِيمِ: البعث
- الْأَرْضَ مِهَادًا: فراشاً للاستقرار عليها
- الْجِبَالَ أَوْتَادًا: كالأوتاد للأرض
- خَلَقْنَاكُمْ أَزْوَاجًا: أصنافاً ذكوراً وإناثاً
- اللَّيْلَ لِبَاسًا: ساتراً لكم بظلمته
- النَّهَارَ مَعَاشًا: تحصّلون فيه ما تعيشون به
- سَبْعًا شِدَادًا: قويّات محكمات
- الْمُعْصِرَاتِ: السحائب
- مَاءً ثَجَّاجًا: منصبّاً بكثرة
- جَنَّاتٍ أَلْفَافًا: ملتفّة الأشجار لكثرتها
- فَتَأْتُونَ أَفْوَاجًا: أمماً أو جماعات مختلفة
- فَكَانَتْ سَرَابًا: كالسراب الذي لا حقيقة له
- لِلطَّاغِينَ مَآبًا: مرجعاً لهم
- أَحْقَابًا: دهوراً لا نهاية لها
- جَزَاءً وِفَاقًا: موافقاً لأعمالهم

مدّ ٦ حركات لزوماً — مدّ ٢ أو ٤ أو ٦ جوازاً	إخفاء، ومواقع الغُنَّة (حركتان)	تفخيم
مدّ واجب ٤ أو ٥ حركات — مدّ حركتان	إدغام، وما لا يُلفَظ	قلقلة

إِنَّ لِلْمُتَّقِينَ مَفَازًا ﴿٣١﴾ حَدَآئِقَ وَأَعْنَٰبًا ﴿٣٢﴾ وَكَوَاعِبَ أَتْرَابًا ﴿٣٣﴾ وَكَأْسًا
دِهَاقًا ﴿٣٤﴾ لَّا يَسْمَعُونَ فِيهَا لَغْوًا وَلَا كِذَّٰبًا ﴿٣٥﴾ جَزَآءً مِّن رَّبِّكَ عَطَآءً
حِسَابًا ﴿٣٦﴾ رَّبِّ ٱلسَّمَٰوَٰتِ وَٱلْأَرْضِ وَمَا بَيْنَهُمَا ٱلرَّحْمَٰنِ ۖ لَا يَمْلِكُونَ
مِنْهُ خِطَابًا ﴿٣٧﴾ يَوْمَ يَقُومُ ٱلرُّوحُ وَٱلْمَلَٰٓئِكَةُ صَفًّا ۖ لَّا يَتَكَلَّمُونَ
إِلَّا مَنْ أَذِنَ لَهُ ٱلرَّحْمَٰنُ وَقَالَ صَوَابًا ﴿٣٨﴾ ذَٰلِكَ ٱلْيَوْمُ ٱلْحَقُّ ۖ فَمَن
شَآءَ ٱتَّخَذَ إِلَىٰ رَبِّهِۦ مَـَٔابًا ﴿٣٩﴾ إِنَّآ أَنذَرْنَٰكُمْ عَذَابًا قَرِيبًا يَوْمَ
يَنظُرُ ٱلْمَرْءُ مَا قَدَّمَتْ يَدَاهُ وَيَقُولُ ٱلْكَافِرُ يَٰلَيْتَنِى كُنتُ تُرَٰبًۢا ﴿٤٠﴾

سُورَةُ النَّازِعَات

ترتيبها ٧٩ — آياتها ٤٦

بِسْمِ ٱللَّهِ ٱلرَّحْمَٰنِ ٱلرَّحِيمِ

وَٱلنَّٰزِعَٰتِ غَرْقًا ﴿١﴾ وَٱلنَّٰشِطَٰتِ نَشْطًا ﴿٢﴾ وَٱلسَّٰبِحَٰتِ سَبْحًا
﴿٣﴾ فَٱلسَّٰبِقَٰتِ سَبْقًا ﴿٤﴾ فَٱلْمُدَبِّرَٰتِ أَمْرًا ﴿٥﴾ يَوْمَ تَرْجُفُ ٱلرَّاجِفَةُ
﴿٦﴾ تَتْبَعُهَا ٱلرَّادِفَةُ ﴿٧﴾ قُلُوبٌ يَوْمَئِذٍ وَاجِفَةٌ ﴿٨﴾ أَبْصَٰرُهَا
خَٰشِعَةٌ ﴿٩﴾ يَقُولُونَ أَءِنَّا لَمَرْدُودُونَ فِى ٱلْحَافِرَةِ ﴿١٠﴾ أَءِذَا كُنَّا
عِظَٰمًا نَّخِرَةً ﴿١١﴾ قَالُوا۟ تِلْكَ إِذًا كَرَّةٌ خَاسِرَةٌ ﴿١٢﴾ فَإِنَّمَا هِىَ زَجْرَةٌ
وَٰحِدَةٌ ﴿١٣﴾ فَإِذَا هُم بِٱلسَّاهِرَةِ ﴿١٤﴾ هَلْ أَتَىٰكَ حَدِيثُ مُوسَىٰٓ ﴿١٥﴾

مدّ ٦ حركات لزوماً — مدّ ٢ أو ٤ أو ٦ جوازاً	إخفاء ، ومواقع الغنّة (حركتان)	تفخيم
مدّ واجب ٤ أو ٥ حركات — مدّ حركتان	إدغام ، وما لا يُلفَظ	قلقلة

- مَفَازًا : فوزاً وظفراً
- كَوَاعِبَ : فتيات ناهدات
- أَتْرَابًا : مُسْتويات في السّنّ والحُسْن
- كَأْسًا دِهَاقًا : مُترَعة مَليئة
- لَغْوًا : كلاماً غير مُعْتَدّ به أو قبيحاً
- كِذَّٰبًا : تكذيباً
- عَطَآءً حِسَابًا : إحْساناً كافياً
- مَـَٔابًا : مَرْجعاً بالإيمان والطاعة
- كُنتُ تُرَٰبًا : فلم أُبْعثْ في هذا اليوم
- ٱلنَّٰزِعَٰتِ : الملائكة تنزِعُ أرْواح الكفّار
- غَرْقًا : نزْعاً شديداً
- ٱلنَّٰشِطَٰتِ : الملائكة تَسُل برِفقٍ أرْواح المؤمنين
- ٱلسَّٰبِحَٰتِ : الملائكة تنزِلُ مُسرعة بما أُمرتْ به
- فَٱلسَّٰبِقَٰتِ : الملائكة تَسْبِق بالأرْواح إلى مُسْتقرّها
- فَٱلْمُدَبِّرَٰتِ أَمْرًا : الملائكة تنزِل بتَدْبيرِ ما أُمِرتْ بِهِ
- تَرْجُفُ : تتحرّكُ حركةً شديدَةً
- ٱلرَّاجِفَةُ : نفْخةُ الصَّعْق أو الموت
- تَتْبَعُهَا ٱلرَّادِفَةُ : نَفْخةُ البَعْث
- وَاجِفَةٌ : مُضْطربةٌ أو خائفةٌ
- أَبْصَٰرُهَا خَٰشِعَةٌ : ذَليلةٌ مُنْكسِرةٌ
- فِى ٱلْحَافِرَةِ : في الحالة الأولى (الحياة)
- عِظَٰمًا نَّخِرَةً : بالِيَةً
- كَرَّةٌ خَاسِرَةٌ : رَجْعَةٌ غابِنَةٌ
- زَجْرَةٌ وَٰحِدَةٌ : صَيْحةٌ واحدةٌ (نفخة البَعْث)
- هُم بِٱلسَّاهِرَةِ : أحياءٌ على وجه الأرض

إِذْ نَادَىٰهُ رَبُّهُۥ بِٱلْوَادِ ٱلْمُقَدَّسِ طُوًى ﴿١٦﴾ ٱذْهَبْ إِلَىٰ فِرْعَوْنَ إِنَّهُۥ طَغَىٰ ﴿١٧﴾
فَقُلْ هَل لَّكَ إِلَىٰٓ أَن تَزَكَّىٰ ﴿١٨﴾ وَأَهْدِيَكَ إِلَىٰ رَبِّكَ فَتَخْشَىٰ ﴿١٩﴾ فَأَرَىٰهُ
ٱلْـَٔايَةَ ٱلْكُبْرَىٰ ﴿٢٠﴾ فَكَذَّبَ وَعَصَىٰ ﴿٢١﴾ ثُمَّ أَدْبَرَ يَسْعَىٰ ﴿٢٢﴾ فَحَشَرَ
فَنَادَىٰ ﴿٢٣﴾ فَقَالَ أَنَا۠ رَبُّكُمُ ٱلْأَعْلَىٰ ﴿٢٤﴾ فَأَخَذَهُ ٱللَّهُ نَكَالَ ٱلْـَٔاخِرَةِ وَٱلْأُولَىٰٓ
﴿٢٥﴾ إِنَّ فِى ذَٰلِكَ لَعِبْرَةً لِّمَن يَخْشَىٰٓ ﴿٢٦﴾ ءَأَنتُمْ أَشَدُّ خَلْقًا أَمِ ٱلسَّمَآءُ ۚ بَنَىٰهَا
﴿٢٧﴾ رَفَعَ سَمْكَهَا فَسَوَّىٰهَا ﴿٢٨﴾ وَأَغْطَشَ لَيْلَهَا وَأَخْرَجَ ضُحَىٰهَا ﴿٢٩﴾
وَٱلْأَرْضَ بَعْدَ ذَٰلِكَ دَحَىٰهَآ ﴿٣٠﴾ أَخْرَجَ مِنْهَا مَآءَهَا وَمَرْعَىٰهَا ﴿٣١﴾
وَٱلْجِبَالَ أَرْسَىٰهَا ﴿٣٢﴾ مَتَٰعًا لَّكُمْ وَلِأَنْعَٰمِكُمْ ﴿٣٣﴾ فَإِذَا جَآءَتِ ٱلطَّآمَّةُ
ٱلْكُبْرَىٰ ﴿٣٤﴾ يَوْمَ يَتَذَكَّرُ ٱلْإِنسَٰنُ مَا سَعَىٰ ﴿٣٥﴾ وَبُرِّزَتِ ٱلْجَحِيمُ
لِمَن يَرَىٰ ﴿٣٦﴾ فَأَمَّا مَن طَغَىٰ ﴿٣٧﴾ وَءَاثَرَ ٱلْحَيَوٰةَ ٱلدُّنْيَا ﴿٣٨﴾ فَإِنَّ ٱلْجَحِيمَ
هِىَ ٱلْمَأْوَىٰ ﴿٣٩﴾ وَأَمَّا مَنْ خَافَ مَقَامَ رَبِّهِۦ وَنَهَى ٱلنَّفْسَ عَنِ ٱلْهَوَىٰ
﴿٤٠﴾ فَإِنَّ ٱلْجَنَّةَ هِىَ ٱلْمَأْوَىٰ ﴿٤١﴾ يَسْـَٔلُونَكَ عَنِ ٱلسَّاعَةِ أَيَّانَ مُرْسَىٰهَا
﴿٤٢﴾ فِيمَ أَنتَ مِن ذِكْرَىٰهَآ ﴿٤٣﴾ إِلَىٰ رَبِّكَ مُنتَهَىٰهَآ ﴿٤٤﴾ إِنَّمَآ أَنتَ مُنذِرُ
مَن يَخْشَىٰهَا ﴿٤٥﴾ كَأَنَّهُمْ يَوْمَ يَرَوْنَهَا لَمْ يَلْبَثُوٓا۟ إِلَّا عَشِيَّةً أَوْ ضُحَىٰهَا ﴿٤٦﴾

سُورَةُ عَبَسَ

ترتيبها ٨٠ — آياتها ٤٢

- طُوًى: اسمُ الوادي
- طَغَى: عتا وتجبّر
- تزكّى: تتطهّر من الكفر والطّغيان
- يسعى: يجدّ في الإفساد والمعارضة
- فحشر: جمع السّحرة أو الجند
- نكال: عقوبة
- رفع سمكها: جعل ثخنها مرتفعاً جهة العلوّ
- فسوّاها: فجعلها ملساء مستوية

النازعات

- أغطش ليلها: أظلمه
- أخرج ضحاها: أبرز نهارها
- دحاها: بسطها وأوسعها
- مرعاها: أقوات النّاس والدّوابّ
- الجبال أرساها: أثبتها في الأرض كالأوتاد
- الطّامّة الكبرى: القيامة أو نفخة البعث
- برّزت الجحيم: أظهرت إظهاراً بيّناً
- هي المأوى: هي المرجع
- أيّان مرساها: متى يقيمها الله ويثبتها

مدّ ٦ حركات لزوماً	مدّ ٢ أو ٤ أو ٦ جوازاً	إخفاء ، ومواقع الغنّة (حركتان)	تفخيم
مدّ واجب ٤ أو ٥ حركات	مدّ حركتان	إدغام ، وما لا يُلفظ	قلقلة

بِسۡمِ ٱللَّهِ ٱلرَّحۡمَٰنِ ٱلرَّحِيمِ

عَبَسَ وَتَوَلَّىٰٓ ﴿١﴾ أَن جَآءَهُ ٱلۡأَعۡمَىٰ ﴿٢﴾ وَمَا يُدۡرِيكَ لَعَلَّهُۥ يَزَّكَّىٰٓ ﴿٣﴾ أَوۡ
يَذَّكَّرُ فَتَنفَعَهُ ٱلذِّكۡرَىٰٓ ﴿٤﴾ أَمَّا مَنِ ٱسۡتَغۡنَىٰ ﴿٥﴾ فَأَنتَ لَهُۥ تَصَدَّىٰ ﴿٦﴾
وَمَا عَلَيۡكَ أَلَّا يَزَّكَّىٰ ﴿٧﴾ وَأَمَّا مَن جَآءَكَ يَسۡعَىٰ ﴿٨﴾ وَهُوَ يَخۡشَىٰ ﴿٩﴾ فَأَنتَ
عَنۡهُ تَلَهَّىٰ ﴿١٠﴾ كَلَّآ إِنَّهَا تَذۡكِرَةٞ ﴿١١﴾ فَمَن شَآءَ ذَكَرَهُۥ ﴿١٢﴾ فِي صُحُفٖ مُّكَرَّمَةٖ
﴿١٣﴾ مَّرۡفُوعَةٖ مُّطَهَّرَةِۭ ﴿١٤﴾ بِأَيۡدِي سَفَرَةٖ ﴿١٥﴾ كِرَامِۭ بَرَرَةٖ ﴿١٦﴾ قُتِلَ ٱلۡإِنسَٰنُ
مَآ أَكۡفَرَهُۥ ﴿١٧﴾ مِنۡ أَيِّ شَيۡءٍ خَلَقَهُۥ ﴿١٨﴾ مِن نُّطۡفَةٍ خَلَقَهُۥ فَقَدَّرَهُۥ ﴿١٩﴾ ثُمَّ
ٱلسَّبِيلَ يَسَّرَهُۥ ﴿٢٠﴾ ثُمَّ أَمَاتَهُۥ فَأَقۡبَرَهُۥ ﴿٢١﴾ ثُمَّ إِذَا شَآءَ أَنشَرَهُۥ ﴿٢٢﴾ كَلَّا لَمَّا
يَقۡضِ مَآ أَمَرَهُۥ ﴿٢٣﴾ فَلۡيَنظُرِ ٱلۡإِنسَٰنُ إِلَىٰ طَعَامِهِۦٓ ﴿٢٤﴾ أَنَّا صَبَبۡنَا ٱلۡمَآءَ صَبّٗا
﴿٢٥﴾ ثُمَّ شَقَقۡنَا ٱلۡأَرۡضَ شَقّٗا ﴿٢٦﴾ فَأَنۢبَتۡنَا فِيهَا حَبّٗا ﴿٢٧﴾ وَعِنَبٗا وَقَضۡبٗا ﴿٢٨﴾
وَزَيۡتُونٗا وَنَخۡلٗا ﴿٢٩﴾ وَحَدَآئِقَ غُلۡبٗا ﴿٣٠﴾ وَفَٰكِهَةٗ وَأَبّٗا ﴿٣١﴾ مَّتَٰعٗا لَّكُمۡ
وَلِأَنۡعَٰمِكُمۡ ﴿٣٢﴾ فَإِذَا جَآءَتِ ٱلصَّآخَّةُ ﴿٣٣﴾ يَوۡمَ يَفِرُّ ٱلۡمَرۡءُ مِنۡ أَخِيهِ ﴿٣٤﴾
وَأُمِّهِۦ وَأَبِيهِ ﴿٣٥﴾ وَصَٰحِبَتِهِۦ وَبَنِيهِ ﴿٣٦﴾ لِكُلِّ ٱمۡرِيٕٖ مِّنۡهُمۡ يَوۡمَئِذٖ شَأۡنٞ
يُغۡنِيهِ ﴿٣٧﴾ وُجُوهٞ يَوۡمَئِذٖ مُّسۡفِرَةٞ ﴿٣٨﴾ ضَاحِكَةٞ مُّسۡتَبۡشِرَةٞ ﴿٣٩﴾ وَوُجُوهٞ
يَوۡمَئِذٍ عَلَيۡهَا غَبَرَةٞ ﴿٤٠﴾ تَرۡهَقُهَا قَتَرَةٌ ﴿٤١﴾ أُوْلَٰٓئِكَ هُمُ ٱلۡكَفَرَةُ ٱلۡفَجَرَةُ ﴿٤٢﴾

- عَبَسَ: قَطَّبَ جَبِينَهُ الشَّرِيفَ
- تَوَلَّىٰٓ: أَعْرَضَ بِوَجْهِهِ الشَّرِيفِ

ربع الحزب ٥٩

- يَزَّكَّىٰ: يَتَطَهَّرُ مِنْ دَنَسِ الجَهْلِ
- تَصَدَّىٰ: تَتَعَرَّضُ لَهُ وَتُقْبِلُ عَلَيْهِ
- تَلَهَّىٰ: تَتَشَاغَلُ وَتُعْرِضُ
- مَّرْفُوعَةٍ: رَفِيعَةِ القَدْرِ وَالمَنْزِلَةِ
- سَفَرَةٍ: كَتَبَةٍ مِنَ المَلَائِكَةِ
- بَرَرَةٍ: مُطِيعِينَ لَهُ تَعَالَى

عبس

- قُتِلَ ٱلۡإِنسَٰنُ: لُعِنَ الكَافِرُ أَوْ عُذِّبَ
- فَقَدَّرَهُ: فَهَيَّأَهُ لِمَا يَصْلُحُ لَهُ
- فَأَقْبَرَهُ: أَمَرَ بِدَفْنِهِ فِي القَبْرِ
- أَنشَرَهُ: أَحْيَاهُ بَعْدَ مَوْتِهِ
- لَمَّا يَقْضِ: لَمْ يَفْعَلْ
- قَضْبًا: عَلَفًا رَطْبًا لِلدَّوَابِّ
- حَدَآئِقَ غُلْبًا: بَسَاتِينَ عِظَامًا، مُتَكَاثِفَةَ الأَشْجَارِ
- أَبًّا: كَلَأً وَعُشْبًا أَوْ هُوَ التِّبْنُ خَاصَّةً
- جَآءَتِ ٱلصَّآخَّةُ: الدَّاهِيَةُ العَظِيمَةُ (نَفْخَةُ البَعْثِ)
- مُّسْفِرَةٌ: مُشْرِقَةٌ مُضِيئَةٌ
- غَبَرَةٌ: غُبَارٌ وَكُدُورَةٌ
- تَرْهَقُهَا قَتَرَةٌ: تَغْشَاهَا ظُلْمَةٌ وَسَوَادٌ

مدّ ٦ حركات لزوماً	مدّ ٢ أو ٤ أو ٦ جوازاً	إخفاء ، ومواقع الغُنَّة (حركتان)	تفخيم
مدّ واجب ٤ أو ٥ حركات	مدّ حركتان	إدغام ، وما لا يُلفَظ	قلقلة

سُورَةُ التَّكۡوِيرِ

بِسۡمِ ٱللَّهِ ٱلرَّحۡمَٰنِ ٱلرَّحِيمِ

إِذَا ٱلشَّمۡسُ كُوِّرَتۡ ١ وَإِذَا ٱلنُّجُومُ ٱنكَدَرَتۡ ٢ وَإِذَا ٱلۡجِبَالُ
سُيِّرَتۡ ٣ وَإِذَا ٱلۡعِشَارُ عُطِّلَتۡ ٤ وَإِذَا ٱلۡوُحُوشُ حُشِرَتۡ
٥ وَإِذَا ٱلۡبِحَارُ سُجِّرَتۡ ٦ وَإِذَا ٱلنُّفُوسُ زُوِّجَتۡ ٧ وَإِذَا
ٱلۡمَوۡءُۥدَةُ سُئِلَتۡ ٨ بِأَيِّ ذَنۢبٖ قُتِلَتۡ ٩ وَإِذَا ٱلصُّحُفُ نُشِرَتۡ
١٠ وَإِذَا ٱلسَّمَآءُ كُشِطَتۡ ١١ وَإِذَا ٱلۡجَحِيمُ سُعِّرَتۡ ١٢ وَإِذَا ٱلۡجَنَّةُ
أُزۡلِفَتۡ ١٣ عَلِمَتۡ نَفۡسٞ مَّآ أَحۡضَرَتۡ ١٤ فَلَآ أُقۡسِمُ بِٱلۡخُنَّسِ ١٥
ٱلۡجَوَارِ ٱلۡكُنَّسِ ١٦ وَٱلَّيۡلِ إِذَا عَسۡعَسَ ١٧ وَٱلصُّبۡحِ إِذَا تَنَفَّسَ ١٨
إِنَّهُۥ لَقَوۡلُ رَسُولٖ كَرِيمٖ ١٩ ذِي قُوَّةٍ عِندَ ذِي ٱلۡعَرۡشِ مَكِينٖ ٢٠ مُّطَاعٖ
ثَمَّ أَمِينٖ ٢١ وَمَا صَاحِبُكُم بِمَجۡنُونٖ ٢٢ وَلَقَدۡ رَءَاهُ بِٱلۡأُفُقِ ٱلۡمُبِينِ
٢٣ وَمَا هُوَ عَلَى ٱلۡغَيۡبِ بِضَنِينٖ ٢٤ وَمَا هُوَ بِقَوۡلِ شَيۡطَٰنٖ رَّجِيمٖ ٢٥
فَأَيۡنَ تَذۡهَبُونَ ٢٦ إِنۡ هُوَ إِلَّا ذِكۡرٞ لِّلۡعَٰلَمِينَ ٢٧ لِمَن شَآءَ مِنكُمۡ أَن
يَسۡتَقِيمَ ٢٨ وَمَا تَشَآءُونَ إِلَّآ أَن يَشَآءَ ٱللَّهُ رَبُّ ٱلۡعَٰلَمِينَ ٢٩

سُورَةُ الانفِطَارِ

ترتيبها ٨٢ — آياتها ١٩

مدّ ٦ حركات لزوماً ● مدّ ٢ أو ٤ أو ٦ جوازاً	إخفاء، ومواقع الغُنَّة (حركتان)	تفخيم
مدّ واجب ٤ أو ٥ حركات ● مدّ حركتان	إدغام، وما لا يُلفَظ	قلقلة

التكوير

- ٱلشَّمۡسُ كُوِّرَتۡ: أُزيلَ نورُها
- ٱلنُّجُومُ ٱنكَدَرَتۡ: تَساقطتْ وتَهاوتْ
- ٱلۡجِبَالُ سُيِّرَتۡ: أُزيلتْ عن مواضعها
- ٱلۡوُحُوشُ حُشِرَتۡ: جُمِعتْ مِنْ كُلِّ صَوْبٍ
- ٱلنُّفُوسُ زُوِّجَتۡ: قُرِنَتْ كُلُّ نَفْسٍ بشكلِها
- ٱلسَّمَآءُ كُشِطَتۡ: قُلِعَتْ كما يُقْلَعُ السقفُ
- ٱلۡجَحِيمُ سُعِّرَتۡ: أُوقِدتْ ناراً
- ٱلۡجَنَّةُ أُزۡلِفَتۡ: قُرِّبَتْ وأُدْنِيَتْ
- فَلَآ أُقۡسِمُ: أُقْسِمُ و «لا» مزيدةٌ
- ٱلۡجَوَارِ: السَّيارةُ

بِسْمِ ٱللَّهِ ٱلرَّحْمَٰنِ ٱلرَّحِيمِ

إِذَا ٱلسَّمَآءُ ٱنفَطَرَتْ ﴿١﴾ وَإِذَا ٱلْكَوَاكِبُ ٱنتَثَرَتْ ﴿٢﴾ وَإِذَا ٱلْبِحَارُ
فُجِّرَتْ ﴿٣﴾ وَإِذَا ٱلْقُبُورُ بُعْثِرَتْ ﴿٤﴾ عَلِمَتْ نَفْسٌ مَّا قَدَّمَتْ
وَأَخَّرَتْ ﴿٥﴾ يَٰٓأَيُّهَا ٱلْإِنسَٰنُ مَا غَرَّكَ بِرَبِّكَ ٱلْكَرِيمِ ﴿٦﴾ ٱلَّذِى
خَلَقَكَ فَسَوَّىٰكَ فَعَدَلَكَ ﴿٧﴾ فِىٓ أَىِّ صُورَةٍ مَّا شَآءَ رَكَّبَكَ ﴿٨﴾
كَلَّا بَلْ تُكَذِّبُونَ بِٱلدِّينِ ﴿٩﴾ وَإِنَّ عَلَيْكُمْ لَحَٰفِظِينَ ﴿١٠﴾ كِرَامًا
كَٰتِبِينَ ﴿١١﴾ يَعْلَمُونَ مَا تَفْعَلُونَ ﴿١٢﴾ إِنَّ ٱلْأَبْرَارَ لَفِى نَعِيمٍ ﴿١٣﴾ وَإِنَّ
ٱلْفُجَّارَ لَفِى جَحِيمٍ ﴿١٤﴾ يَصْلَوْنَهَا يَوْمَ ٱلدِّينِ ﴿١٥﴾ وَمَا هُمْ عَنْهَا بِغَآئِبِينَ
﴿١٦﴾ وَمَآ أَدْرَىٰكَ مَا يَوْمُ ٱلدِّينِ ﴿١٧﴾ ثُمَّ مَآ أَدْرَىٰكَ مَا يَوْمُ ٱلدِّينِ
﴿١٨﴾ يَوْمَ لَا تَمْلِكُ نَفْسٌ لِّنَفْسٍ شَيْـًٔا ۖ وَٱلْأَمْرُ يَوْمَئِذٍ لِّلَّهِ ﴿١٩﴾

سُورَةُ المُطَفِّفِينَ

ترتيبها ٨٣ — آياتها ٣٦

بِسْمِ ٱللَّهِ ٱلرَّحْمَٰنِ ٱلرَّحِيمِ

وَيْلٌ لِّلْمُطَفِّفِينَ ﴿١﴾ ٱلَّذِينَ إِذَا ٱكْتَالُوا۟ عَلَى ٱلنَّاسِ يَسْتَوْفُونَ ﴿٢﴾
وَإِذَا كَالُوهُمْ أَو وَّزَنُوهُمْ يُخْسِرُونَ ﴿٣﴾ أَلَا يَظُنُّ أُو۟لَٰٓئِكَ أَنَّهُم
مَّبْعُوثُونَ ﴿٤﴾ لِيَوْمٍ عَظِيمٍ ﴿٥﴾ يَوْمَ يَقُومُ ٱلنَّاسُ لِرَبِّ ٱلْعَٰلَمِينَ ﴿٦﴾

- ٱلسَّمَآءُ ٱنفَطَرَتْ: انشقّتْ
- ٱلْكَوَاكِبُ ٱنتَثَرَتْ: تساقطتْ متفرّقةً

نصف الحزب ٥٩

- ٱلْبِحَارُ فُجِّرَتْ: شُقِّقتْ فصارت بحراً واحداً
- ٱلْقُبُورُ بُعْثِرَتْ: قُلِبَ تُرابُها ، وأُخْرِجَ مَوتاها
- مَا غَرَّكَ بِرَبِّكَ: ما خدَعَكَ وجرّأكَ على عصيانِهِ
- فَسَوَّىٰكَ: جعَلَ أعْضاءَكَ سَويّةً سليمةً
- فَعَدَلَكَ: جعَلَكَ متناسبَ الخَلْقِ

الانفطار

- تُكَذِّبُونَ بِٱلدِّينِ: بالجزاءِ والبعثِ
- يَصْلَوْنَهَا: يَدْخُلونَها أو يُقاسُونَ حَرَّهَا
- وَيْلٌ: هلاكٌ أو حَسْرةٌ
- لِّلْمُطَفِّفِينَ: المنقِّصينَ في الكَيْلِ أو الوَزْنِ
- ٱكْتَالُوا۟: اشْتَرَوْا بالكَيْلِ ومثلُه الوَزْنُ
- كَالُوهُمْ: أعْطَوا غيرَهم بالكيلِ
- وَّزَنُوهُمْ: أعْطَوا غيرَهم بالوَزْنِ
- يُخْسِرُونَ: يُنْقِصُونَ الكَيْلَ والوَزْنَ

مدّ ٦ حركات لزوماً — مدّ ٢ أو ٤ أو ٦ جوازاً	إخفاء ، ومواقع الغُنَّة (حركتان)	تفخيم
مدّ واجب ٤ أو ٥ حركات — مدّ حركتان	إدغام ، وما لا يُلفَظ	قلقلة

كَلَّآ إِنَّ كِتَٰبَ ٱلۡفُجَّارِ لَفِي سِجِّينٖ ٧ وَمَآ أَدۡرَىٰكَ مَا سِجِّينٞ ٨ كِتَٰبٞ
مَّرۡقُومٞ ٩ وَيۡلٞ يَوۡمَئِذٖ لِّلۡمُكَذِّبِينَ ١٠ ٱلَّذِينَ يُكَذِّبُونَ بِيَوۡمِ ٱلدِّينِ ١١
وَمَا يُكَذِّبُ بِهِۦٓ إِلَّا كُلُّ مُعۡتَدٍ أَثِيمٍ ١٢ إِذَا تُتۡلَىٰ عَلَيۡهِ ءَايَٰتُنَا قَالَ أَسَٰطِيرُ
ٱلۡأَوَّلِينَ ١٣ كَلَّاۖ بَلۡۜ رَانَ عَلَىٰ قُلُوبِهِم مَّا كَانُواْ يَكۡسِبُونَ ١٤ كَلَّآ إِنَّهُمۡ
عَن رَّبِّهِمۡ يَوۡمَئِذٖ لَّمَحۡجُوبُونَ ١٥ ثُمَّ إِنَّهُمۡ لَصَالُواْ ٱلۡجَحِيمِ ١٦ ثُمَّ يُقَالُ
هَٰذَا ٱلَّذِي كُنتُم بِهِۦ تُكَذِّبُونَ ١٧ كَلَّآ إِنَّ كِتَٰبَ ٱلۡأَبۡرَارِ لَفِي عِلِّيِّينَ
١٨ وَمَآ أَدۡرَىٰكَ مَا عِلِّيُّونَ ١٩ كِتَٰبٞ مَّرۡقُومٞ ٢٠ يَشۡهَدُهُ ٱلۡمُقَرَّبُونَ
٢١ إِنَّ ٱلۡأَبۡرَارَ لَفِي نَعِيمٍ ٢٢ عَلَى ٱلۡأَرَآئِكِ يَنظُرُونَ ٢٣ تَعۡرِفُ فِي
وُجُوهِهِمۡ نَضۡرَةَ ٱلنَّعِيمِ ٢٤ يُسۡقَوۡنَ مِن رَّحِيقٖ مَّخۡتُومٍ ٢٥
خِتَٰمُهُۥ مِسۡكٞۚ وَفِي ذَٰلِكَ فَلۡيَتَنَافَسِ ٱلۡمُتَنَٰفِسُونَ ٢٦ وَمِزَاجُهُۥ
مِن تَسۡنِيمٍ ٢٧ عَيۡنٗا يَشۡرَبُ بِهَا ٱلۡمُقَرَّبُونَ ٢٨ إِنَّ ٱلَّذِينَ
أَجۡرَمُواْ كَانُواْ مِنَ ٱلَّذِينَ ءَامَنُواْ يَضۡحَكُونَ ٢٩ وَإِذَا مَرُّواْ بِهِمۡ
يَتَغَامَزُونَ ٣٠ وَإِذَا ٱنقَلَبُوٓاْ إِلَىٰٓ أَهۡلِهِمُ ٱنقَلَبُواْ فَكِهِينَ ٣١
وَإِذَا رَأَوۡهُمۡ قَالُوٓاْ إِنَّ هَٰٓؤُلَآءِ لَضَآلُّونَ ٣٢ وَمَآ أُرۡسِلُواْ عَلَيۡهِمۡ
حَٰفِظِينَ ٣٣ فَٱلۡيَوۡمَ ٱلَّذِينَ ءَامَنُواْ مِنَ ٱلۡكُفَّارِ يَضۡحَكُونَ ٣٤

- كِتَٰبَ ٱلۡفُجَّارِ: ما يُكتب من أعمالهم

سكتة لطيفة على اللام

- أَسَٰطِيرُ ٱلۡأَوَّلِينَ: أباطيلُهُم المسَطَّرَةُ في كتبهم
- رَانَ عَلَىٰ قُلُوبِهِم: غَلَبَ وَغطَّى عليها
- لَصَالُواْ ٱلۡجَحِيمِ: لَداخِلوها أو لَمقاسو حرّها
- كِتَٰبَ ٱلۡأَبۡرَارِ: ما يُكتب من أعمالهم

- نَضۡرَةَ ٱلنَّعِيمِ: بهجته ورونقهُ
- مَّخۡتُومٍ: أوانيه وأكوابه
- مِزَاجُهُۥ: ما يُمْزَجُ به
- يَتَغَامَزُونَ: يُشيرُونَ إليهمْ بالأعين استهزاء

مدّ ٦ حركات لزوماً — مدّ ٢ أو ٤ أو ٦ جوازاً	إخفاء، ومواقع الغُنّة (حركتان)	تفخيم
مدّ واجب ٤ أو ٥ حركات — مدّ حركتان	إدغام، وما لا يُلفَظ	قلقلة

عَلَى ٱلۡأَرَآئِكِ يَنظُرُونَ ﴿٣٥﴾ هَلۡ ثُوِّبَ ٱلۡكُفَّارُ مَا كَانُواْ يَفۡعَلُونَ ﴿٣٦﴾

سُورَةُ الانشِقَاق

ترتيبها ٨٤ — آياتها ٢٥

بِسۡمِ ٱللَّهِ ٱلرَّحۡمَٰنِ ٱلرَّحِيمِ

إِذَا ٱلسَّمَآءُ ٱنشَقَّتۡ ﴿١﴾ وَأَذِنَتۡ لِرَبِّهَا وَحُقَّتۡ ﴿٢﴾ وَإِذَا ٱلۡأَرۡضُ مُدَّتۡ
﴿٣﴾ وَأَلۡقَتۡ مَا فِيهَا وَتَخَلَّتۡ ﴿٤﴾ وَأَذِنَتۡ لِرَبِّهَا وَحُقَّتۡ ﴿٥﴾ يَٰٓأَيُّهَا
ٱلۡإِنسَٰنُ إِنَّكَ كَادِحٌ إِلَىٰ رَبِّكَ كَدۡحٗا فَمُلَٰقِيهِ ﴿٦﴾ فَأَمَّا مَنۡ أُوتِيَ
كِتَٰبَهُۥ بِيَمِينِهِۦ ﴿٧﴾ فَسَوۡفَ يُحَاسَبُ حِسَابٗا يَسِيرٗا ﴿٨﴾ وَيَنقَلِبُ
إِلَىٰٓ أَهۡلِهِۦ مَسۡرُورٗا ﴿٩﴾ وَأَمَّا مَنۡ أُوتِيَ كِتَٰبَهُۥ وَرَآءَ ظَهۡرِهِۦ ﴿١٠﴾ فَسَوۡفَ
يَدۡعُواْ ثُبُورٗا ﴿١١﴾ وَيَصۡلَىٰ سَعِيرًا ﴿١٢﴾ إِنَّهُۥ كَانَ فِيٓ أَهۡلِهِۦ مَسۡرُورًا ﴿١٣﴾
إِنَّهُۥ ظَنَّ أَن لَّن يَحُورَ ﴿١٤﴾ بَلَىٰٓۚ إِنَّ رَبَّهُۥ كَانَ بِهِۦ بَصِيرٗا ﴿١٥﴾ فَلَآ أُقۡسِمُ
بِٱلشَّفَقِ ﴿١٦﴾ وَٱلَّيۡلِ وَمَا وَسَقَ ﴿١٧﴾ وَٱلۡقَمَرِ إِذَا ٱتَّسَقَ ﴿١٨﴾
لَتَرۡكَبُنَّ طَبَقًا عَن طَبَقٖ ﴿١٩﴾ فَمَا لَهُمۡ لَا يُؤۡمِنُونَ ﴿٢٠﴾ وَإِذَا قُرِئَ
عَلَيۡهِمُ ٱلۡقُرۡءَانُ لَا يَسۡجُدُونَۤ ۩ ﴿٢١﴾ بَلِ ٱلَّذِينَ كَفَرُواْ يُكَذِّبُونَ
﴿٢٢﴾ وَٱللَّهُ أَعۡلَمُ بِمَا يُوعُونَ ﴿٢٣﴾ فَبَشِّرۡهُم بِعَذَابٍ أَلِيمٍ ﴿٢٤﴾
إِلَّا ٱلَّذِينَ ءَامَنُواْ وَعَمِلُواْ ٱلصَّٰلِحَٰتِ لَهُمۡ أَجۡرٌ غَيۡرُ مَمۡنُونِۭ ﴿٢٥﴾

- ثُوِّبَ ٱلۡكُفَّارُ: جوزوا بسخريتهم بالمؤمنين
- ٱلسَّمَآءُ ٱنشَقَّتۡ: تصدّعت
- أَذِنَتۡ لِرَبِّهَا: استمعت وانقادت له تعالى
- حُقَّتۡ: حُقّ لها أن تستمع وتنقاد

ثلاثة أرباع الحزب ٥٩

- ٱلۡأَرۡضُ مُدَّتۡ: بُسطت وسُوّيت
- أَلۡقَتۡ مَا فِيهَا: لفظت ما في جوفها
- تَخَلَّتۡ: خلت عنه غاية الخلوّ
- كَادِحٌ إِلَىٰ رَبِّكَ: جاهد في عملك إلى لقاء ربّك
- يَدۡعُواْ ثُبُورٗا: يطلب هلاكاً
- يَصۡلَىٰ سَعِيرًا: يدخلها أو يقاسي حرّها

الانشقاق

- لَّن يَحُورَ: لن يرجع إلى ربّه
- فَلَآ أُقۡسِمُ: أقسم و «لا» مزيدة
- بِٱلشَّفَقِ: بالحمرة في الأفق بعد الغروب
- مَا وَسَقَ: ما ضمّ وجمع
- ٱتَّسَقَ: اجتمع وتمّ نوره

سجدة

- لَتَرۡكَبُنَّ: لتلاقُنّ
- طَبَقًا عَن طَبَقٖ: حالاً بعد حال
- يُوعُونَ: يضمرون أو يجمعون من السيئات
- غَيۡرُ مَمۡنُونٖ: غير مقطوع عنهم

مدّ ٦ حركات لزوماً — مدّ ٢ أو ٤ أو ٦ جوازاً	إخفاء، ومواقع الغنّة (حركتان)	تفخيم
مدّ واجب ٤ أو ٥ حركات — مدّ حركتان	إدغام، وما لا يُلفظ	قلقلة

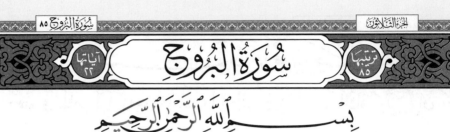

سُورَةُ البُرُوجِ

ترتيبها ٨٥ — آياتها ٢٢

بِسْمِ ٱللَّهِ ٱلرَّحْمَٰنِ ٱلرَّحِيمِ

وَٱلسَّمَآءِ ذَاتِ ٱلْبُرُوجِ ﴿١﴾ وَٱلْيَوْمِ ٱلْمَوْعُودِ ﴿٢﴾ وَشَاهِدٍ وَمَشْهُودٍ
﴿٣﴾ قُتِلَ أَصْحَٰبُ ٱلْأُخْدُودِ ﴿٤﴾ ٱلنَّارِ ذَاتِ ٱلْوَقُودِ ﴿٥﴾ إِذْ هُمْ عَلَيْهَا
قُعُودٌ ﴿٦﴾ وَهُمْ عَلَىٰ مَا يَفْعَلُونَ بِٱلْمُؤْمِنِينَ شُهُودٌ ﴿٧﴾ وَمَا نَقَمُوا۟
مِنْهُمْ إِلَّآ أَن يُؤْمِنُوا۟ بِٱللَّهِ ٱلْعَزِيزِ ٱلْحَمِيدِ ﴿٨﴾ ٱلَّذِى لَهُۥ مُلْكُ
ٱلسَّمَٰوَٰتِ وَٱلْأَرْضِ ۚ وَٱللَّهُ عَلَىٰ كُلِّ شَىْءٍ شَهِيدٌ ﴿٩﴾ إِنَّ ٱلَّذِينَ
فَتَنُوا۟ ٱلْمُؤْمِنِينَ وَٱلْمُؤْمِنَٰتِ ثُمَّ لَمْ يَتُوبُوا۟ فَلَهُمْ عَذَابُ جَهَنَّمَ وَلَهُمْ
عَذَابُ ٱلْحَرِيقِ ﴿١٠﴾ إِنَّ ٱلَّذِينَ ءَامَنُوا۟ وَعَمِلُوا۟ ٱلصَّٰلِحَٰتِ لَهُمْ
جَنَّٰتٌ تَجْرِى مِن تَحْتِهَا ٱلْأَنْهَٰرُ ۚ ذَٰلِكَ ٱلْفَوْزُ ٱلْكَبِيرُ ﴿١١﴾ إِنَّ بَطْشَ
رَبِّكَ لَشَدِيدٌ ﴿١٢﴾ إِنَّهُۥ هُوَ يُبْدِئُ وَيُعِيدُ ﴿١٣﴾ وَهُوَ ٱلْغَفُورُ ٱلْوَدُودُ ﴿١٤﴾
ذُو ٱلْعَرْشِ ٱلْمَجِيدُ ﴿١٥﴾ فَعَّالٌ لِّمَا يُرِيدُ ﴿١٦﴾ هَلْ أَتَىٰكَ حَدِيثُ ٱلْجُنُودِ
﴿١٧﴾ فِرْعَوْنَ وَثَمُودَ ﴿١٨﴾ بَلِ ٱلَّذِينَ كَفَرُوا۟ فِى تَكْذِيبٍ ﴿١٩﴾ وَٱللَّهُ مِن
وَرَآئِهِم مُّحِيطٌۢ ﴿٢٠﴾ بَلْ هُوَ قُرْءَانٌ مَّجِيدٌ ﴿٢١﴾ فِى لَوْحٍ مَّحْفُوظٍۭ ﴿٢٢﴾

سُورَةُ الطَّارِقِ

ترتيبها ٨٦ — آياتها ١٧

مدّ ٦ حركات لزوماً ● مدّ ٢ أو ٤ أو ٦ جوازاً	إخفاء ، ومواقع الغُنَّة (حركتان)	تفخيم
مدّ واجب ٤ أو ٥ حركات ● مدّ حركتان	إدغام ، وما لا يُلفَظ	قلقلة

البروج

- ٱلْيَوْمِ ٱلْمَوْعُودِ: يوم القيامةِ
- مَانَقَمُوا۟: ما كَرِهُوا أو ما عَابُوا
- بَطْشَ رَبِّكَ: أخْذَهُ الجبابِرَةَ بالعَذابِ
- ٱلْمَجِيدُ: العَظيمُ الجليلُ المُتعالِي

بسم الله الرحمن الرحيم

وَٱلسَّمَآءِ وَٱلطَّارِقِ ﴿١﴾ وَمَآ أَدۡرَىٰكَ مَا ٱلطَّارِقُ ﴿٢﴾ ٱلنَّجۡمُ ٱلثَّاقِبُ ﴿٣﴾ إِن كُلُّ
نَفۡسٍ لَّمَّا عَلَيۡهَا حَافِظٞ ﴿٤﴾ فَلۡيَنظُرِ ٱلۡإِنسَٰنُ مِمَّ خُلِقَ ﴿٥﴾ خُلِقَ مِن مَّآءٖ
دَافِقٖ ﴿٦﴾ يَخۡرُجُ مِنۢ بَيۡنِ ٱلصُّلۡبِ وَٱلتَّرَآئِبِ ﴿٧﴾ إِنَّهُۥ عَلَىٰ رَجۡعِهِۦ لَقَادِرٞ ﴿٨﴾
يَوۡمَ تُبۡلَى ٱلسَّرَآئِرُ ﴿٩﴾ فَمَا لَهُۥ مِن قُوَّةٖ وَلَا نَاصِرٖ ﴿١٠﴾ وَٱلسَّمَآءِ ذَاتِ ٱلرَّجۡعِ ﴿١١﴾
وَٱلۡأَرۡضِ ذَاتِ ٱلصَّدۡعِ ﴿١٢﴾ إِنَّهُۥ لَقَوۡلٞ فَصۡلٞ ﴿١٣﴾ وَمَا هُوَ بِٱلۡهَزۡلِ ﴿١٤﴾ إِنَّهُمۡ
يَكِيدُونَ كَيۡدٗا ﴿١٥﴾ وَأَكِيدُ كَيۡدٗا ﴿١٦﴾ فَمَهِّلِ ٱلۡكَٰفِرِينَ أَمۡهِلۡهُمۡ رُوَيۡدَۢا ﴿١٧﴾

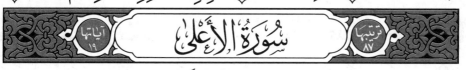

سورة الأعلى

ترتيبها ٨٧ — آياتها ١٩

بسم الله الرحمن الرحيم

سَبِّحِ ٱسۡمَ رَبِّكَ ٱلۡأَعۡلَى ﴿١﴾ ٱلَّذِي خَلَقَ فَسَوَّىٰ ﴿٢﴾ وَٱلَّذِي قَدَّرَ فَهَدَىٰ
﴿٣﴾ وَٱلَّذِيٓ أَخۡرَجَ ٱلۡمَرۡعَىٰ ﴿٤﴾ فَجَعَلَهُۥ غُثَآءً أَحۡوَىٰ ﴿٥﴾ سَنُقۡرِئُكَ
فَلَا تَنسَىٰٓ ﴿٦﴾ إِلَّا مَا شَآءَ ٱللَّهُۚ إِنَّهُۥ يَعۡلَمُ ٱلۡجَهۡرَ وَمَا يَخۡفَىٰ ﴿٧﴾ وَنُيَسِّرُكَ
لِلۡيُسۡرَىٰ ﴿٨﴾ فَذَكِّرۡ إِن نَّفَعَتِ ٱلذِّكۡرَىٰ ﴿٩﴾ سَيَذَّكَّرُ مَن يَخۡشَىٰ ﴿١٠﴾
وَيَتَجَنَّبُهَا ٱلۡأَشۡقَى ﴿١١﴾ ٱلَّذِي يَصۡلَى ٱلنَّارَ ٱلۡكُبۡرَىٰ ﴿١٢﴾ ثُمَّ لَا يَمُوتُ
فِيهَا وَلَا يَحۡيَىٰ ﴿١٣﴾ قَدۡ أَفۡلَحَ مَن تَزَكَّىٰ ﴿١٤﴾ وَذَكَرَ ٱسۡمَ رَبِّهِۦ فَصَلَّىٰ ﴿١٥﴾

- مدّ ٦ حركات لزوماً — مدّ ٢ أو ٤ أو ٦ جوازاً
- مدّ واجب ٤ أو ٥ حركات — مدّ حركتان
- إخفاء، ومواقع الغُنّة (حركتان) — إدغام، وما لا يُلفظ
- تفخيم — قلقلة

- ٱلطَّارِقِ: النجم الثاقب
- ٱلنَّجۡمُ ٱلثَّاقِبُ: المضيءُ المُنير
- حَافِظٞ: مُهيمنٌ ورقيبٌ
- مَّآءٖ دَافِقٖ: مَصْبُوب بدَفْعٍ في الرَّحِم
- ٱلصُّلۡبِ: ظَهْر كلٍّ من الزوجين
- ٱلتَّرَآئِبِ: أطرافهما
- رَجۡعِهِۦ: إعادته بعْدَ فَنائه
- تُبۡلَى ٱلسَّرَآئِرُ: تُكْشَفُ المكنوناتُ والخفيّاتُ
- ذَاتِ ٱلرَّجۡعِ: المطر لرجوعه إلى الأرض ثانياً
- ذَاتِ ٱلصَّدۡعِ: النّبات الذي تَنْشقُّ عَنْهُ
- لَقَوۡلٞ فَصۡلٞ: فاصِلٌ بَيْنَ الحَقِّ وَالبَاطِل
- فَمَهِّلِ ٱلۡكَٰفِرِينَ: لا تستعْجِلْ بالانتقامِ منْهُمْ
- أَمۡهِلۡهُمۡ رُوَيۡدَۢا: قَرِيباً أو قَليلاً ثُمَّ يأْتيهم العذابُ
- سَبِّحِ ٱسۡمَ رَبِّكَ: نزِّهْهُ ومجِّدْه
- خَلَقَ: أوجدَ كلَّ شيءٍ بِقُدْرَته

الحزب ٦٠ — الطارق — الأعلى

- فَسَوَّىٰ: بين خَلقه في الإحْكَام والإتقان
- فَهَدَىٰ: وَجَّه كل مَخْلُوقٍ إلى ما ينْبَغي لَهُ
- أَخۡرَجَ ٱلۡمَرۡعَىٰ: أنبت العُشْبَ رَطْباً غَضّاً
- فَجَعَلَهُۥ غُثَآءً: يابساً هشيماً كغُثاءِ السَّيْل
- أَحۡوَىٰ: أسْوَدَ بعد الخُضْرَةِ والغَضارَة
- نُيَسِّرُكَ: نوفِّقُكَ
- لِلۡيُسۡرَىٰ: للطريقة اليُسرى في كلِّ أمْر
- يَصۡلَى ٱلنَّارَ: يَدْخُلُها أو يُقَاسِي حَرَّهَا
- تَزَكَّىٰ: تطَهَّرَ مِنَ الكُفْر والمَعَاصي

بَلْ تُؤْثِرُونَ ٱلْحَيَوٰةَ ٱلدُّنْيَا ﴿١٦﴾ وَٱلْـَٔاخِرَةُ خَيْرٌ وَأَبْقَىٰٓ ﴿١٧﴾ إِنَّ
هَـٰذَا لَفِى ٱلصُّحُفِ ٱلْأُولَىٰ ﴿١٨﴾ صُحُفِ إِبْرَٰهِيمَ وَمُوسَىٰ ﴿١٩﴾

سُورَةُ الغَاشِيَةِ

ترتيبها ٨٨ — آياتها ٢٦

بِسْمِ ٱللَّهِ ٱلرَّحْمَـٰنِ ٱلرَّحِيمِ

هَلْ أَتَىٰكَ حَدِيثُ ٱلْغَـٰشِيَةِ ﴿١﴾ وُجُوهٌ يَوْمَئِذٍ خَـٰشِعَةٌ ﴿٢﴾
عَامِلَةٌ نَّاصِبَةٌ ﴿٣﴾ تَصْلَىٰ نَارًا حَامِيَةً ﴿٤﴾ تُسْقَىٰ مِنْ عَيْنٍ ءَانِيَةٍ ﴿٥﴾
لَّيْسَ لَهُمْ طَعَامٌ إِلَّا مِن ضَرِيعٍ ﴿٦﴾ لَّا يُسْمِنُ وَلَا يُغْنِى مِن جُوعٍ ﴿٧﴾
وُجُوهٌ يَوْمَئِذٍ نَّاعِمَةٌ ﴿٨﴾ لِّسَعْيِهَا رَاضِيَةٌ ﴿٩﴾ فِى جَنَّةٍ عَالِيَةٍ ﴿١٠﴾
لَّا تَسْمَعُ فِيهَا لَـٰغِيَةً ﴿١١﴾ فِيهَا عَيْنٌ جَارِيَةٌ ﴿١٢﴾ فِيهَا سُرُرٌ مَّرْفُوعَةٌ ﴿١٣﴾
وَأَكْوَابٌ مَّوْضُوعَةٌ ﴿١٤﴾ وَنَمَارِقُ مَصْفُوفَةٌ ﴿١٥﴾ وَزَرَابِىُّ مَبْثُوثَةٌ ﴿١٦﴾
أَفَلَا يَنظُرُونَ إِلَى ٱلْإِبِلِ كَيْفَ خُلِقَتْ ﴿١٧﴾ وَإِلَى ٱلسَّمَآءِ كَيْفَ
رُفِعَتْ ﴿١٨﴾ وَإِلَى ٱلْجِبَالِ كَيْفَ نُصِبَتْ ﴿١٩﴾ وَإِلَى ٱلْأَرْضِ كَيْفَ
سُطِحَتْ ﴿٢٠﴾ فَذَكِّرْ إِنَّمَآ أَنتَ مُذَكِّرٌ ﴿٢١﴾ لَّسْتَ عَلَيْهِم
بِمُصَيْطِرٍ ﴿٢٢﴾ إِلَّا مَن تَوَلَّىٰ وَكَفَرَ ﴿٢٣﴾ فَيُعَذِّبُهُ ٱللَّهُ ٱلْعَذَابَ
ٱلْأَكْبَرَ ﴿٢٤﴾ إِنَّ إِلَيْنَآ إِيَابَهُمْ ﴿٢٥﴾ ثُمَّ إِنَّ عَلَيْنَا حِسَابَهُم ﴿٢٦﴾

- ■ ٱلْغَـٰشِيَةِ: القِيامَة تغشى النّاسَ بأهوالها
- ■ خَـٰشِعَةٌ: ذليلةٌ من الخزي
- ■ عَامِلَةٌ: تجرّ السّلاسلَ والأغلالَ في النّارِ
- ■ نَّاصِبَةٌ: تعبةٌ مما تعملُ فيها
- ■ تَصْلَىٰ نَارًا: تدخُلها أو تُقاسي حرَّها
- ■ عَيْنٍ ءَانِيَةٍ: بلَغت أناها (غايتها) في الحرارة
- ■ ضَرِيعٍ: شيء في النار كالشّوك مُرّ مُنتن
- ■ لَا يُغْنِى مِن جُوعٍ: لا يدفعُ عنهم جوعاً
- ■ نَّاعِمَةٌ: ذاتُ بهجةٍ وحُسنٍ
- ■ لَـٰغِيَةً: لغواً وباطلاً
- ■ سُرُرٌ مَّرْفُوعَةٌ: رفيعةُ القدرِ

الغاشية

- ■ أَكْوَابٌ مَّوْضُوعَةٌ: أقداحٌ مُعدّة للشّرب
- ■ نَمَارِقُ: وسائدُ ومرافقُ
- ■ مَصْفُوفَةٌ: بعضُها إلى جنبِ بعضٍ
- ■ زَرَابِىُّ مَبْثُوثَةٌ: بُسطٌ فاخرة، مُتفرّقة في المجالسِ
- ■ يَنظُرُونَ: يتأمّلون
- ■ بِمُصَيْطِرٍ: بمُتسلّطٍ جبّارٍ
- ■ إِيَابَهُمْ: رُجوعهُم بالبعث

مدّ ٦ حركات لزوماً — مدّ ٢ أو ٤ أو ٦ جوازاً	إخفاء، ومواقع الغُنَّة (حركتان)	تفخيم
مدّ واجب ٤ أو ٥ حركات — مدّ حركتان	إدغام، وما لا يُلفَظ	قلقلة

ترتيبها ٨٩ — آياتها ٣٠

سُورَةُ الفَجْرِ

بِسْمِ اللَّهِ الرَّحْمَٰنِ الرَّحِيمِ

وَالْفَجْرِ ﴿١﴾ وَلَيَالٍ عَشْرٍ ﴿٢﴾ وَالشَّفْعِ وَالْوَتْرِ ﴿٣﴾ وَاللَّيْلِ إِذَا يَسْرِ
﴿٤﴾ هَلْ فِي ذَٰلِكَ قَسَمٌ لِّذِي حِجْرٍ ﴿٥﴾ أَلَمْ تَرَ كَيْفَ فَعَلَ رَبُّكَ بِعَادٍ
﴿٦﴾ إِرَمَ ذَاتِ الْعِمَادِ ﴿٧﴾ الَّتِي لَمْ يُخْلَقْ مِثْلُهَا فِي الْبِلَادِ ﴿٨﴾
وَثَمُودَ الَّذِينَ جَابُوا الصَّخْرَ بِالْوَادِ ﴿٩﴾ وَفِرْعَوْنَ ذِي الْأَوْتَادِ ﴿١٠﴾
الَّذِينَ طَغَوْا فِي الْبِلَادِ ﴿١١﴾ فَأَكْثَرُوا فِيهَا الْفَسَادَ ﴿١٢﴾ فَصَبَّ
عَلَيْهِمْ رَبُّكَ سَوْطَ عَذَابٍ ﴿١٣﴾ إِنَّ رَبَّكَ لَبِالْمِرْصَادِ ﴿١٤﴾ فَأَمَّا
الْإِنسَانُ إِذَا مَا ابْتَلَاهُ رَبُّهُ فَأَكْرَمَهُ وَنَعَّمَهُ فَيَقُولُ رَبِّي أَكْرَمَنِ
﴿١٥﴾ وَأَمَّا إِذَا مَا ابْتَلَاهُ فَقَدَرَ عَلَيْهِ رِزْقَهُ فَيَقُولُ رَبِّي أَهَانَنِ ﴿١٦﴾
كَلَّا ۖ بَل لَّا تُكْرِمُونَ الْيَتِيمَ ﴿١٧﴾ وَلَا تَحَاضُّونَ عَلَىٰ طَعَامِ
الْمِسْكِينِ ﴿١٨﴾ وَتَأْكُلُونَ التُّرَاثَ أَكْلًا لَّمًّا ﴿١٩﴾
وَتُحِبُّونَ الْمَالَ حُبًّا جَمًّا ﴿٢٠﴾ كَلَّا إِذَا دُكَّتِ الْأَرْضُ دَكًّا
دَكًّا ﴿٢١﴾ وَجَاءَ رَبُّكَ وَالْمَلَكُ صَفًّا صَفًّا ﴿٢٢﴾ وَجِيءَ يَوْمَئِذٍ
بِجَهَنَّمَ ۚ يَوْمَئِذٍ يَتَذَكَّرُ الْإِنسَانُ وَأَنَّىٰ لَهُ الذِّكْرَىٰ ﴿٢٣﴾

- لَيَالٍ عَشْرٍ: العَشْر الأُولَى مِنْ ذِي الحِجَّة
- الشَّفْعِ وَالْوَتْرِ: يَوْمُ النَّحْرِ وَيَوْمُ عَرَفَة
- قَسَمٌ لِّذِي حِجْرٍ: مُقْسَمٌ بِهِ لِذِي عَقْلٍ
- ذَاتِ الْعِمَادِ: الأبنية المُحْكَمة بالعَمَدِ
- ذِي الْأَوْتَادِ: الجُيُوش التي تَشُدُّ مُلْكَه
- سَوْطَ عَذَابٍ: عذاباً مُؤلماً دائماً
- لَبِالْمِرْصَادِ: يَرْقُبُ أعْمالَهُمْ ويُجازيهِمْ عليها
- ابْتَلَاهُ رَبُّهُ: امْتَحَنَهُ واخْتَبَرَهُ
- فَقَدَرَ عَلَيْهِ: فَضَيَّقَ عَلَيْهِ أَوْ قَتَّرَ
- تَأْكُلُونَ التُّرَاثَ: المِيراثَ
- أَكْلًا لَّمًّا: جَمْعاً بَيْنَ الحلال والحرام
- دُكَّتِ الْأَرْضُ: دُقَّتْ وكُسِرَتْ
- دَكًّا دَكًّا: دَكّاً مُتَتابعاً
- أَنَّىٰ لَهُ الذِّكْرَىٰ: مِنْ أَيْنَ لَهُ مَنْفَعَتُها

الفجر

مدّ ٦ حركات لزوماً — مدّ ٢ أو ٤ أو ٦ جوازاً	إخفاء، ومواقع الغُنَّة (حركتان)	تفخيم
مدّ واجب ٤ أو ٥ حركات — مدّ حركتان	إدغام، وما لا يُلفَظ	قلقلة

يَقُولُ يَٰلَيۡتَنِي قَدَّمۡتُ لِحَيَاتِي ﴿٢٤﴾ فَيَوۡمَئِذٖ لَّا يُعَذِّبُ عَذَابَهُۥٓ أَحَدٞ ﴿٢٥﴾
وَلَا يُوثِقُ وَثَاقَهُۥٓ أَحَدٞ ﴿٢٦﴾ يَٰٓأَيَّتُهَا ٱلنَّفۡسُ ٱلۡمُطۡمَئِنَّةُ ﴿٢٧﴾ ٱرۡجِعِيٓ
إِلَىٰ رَبِّكِ رَاضِيَةٗ مَّرۡضِيَّةٗ ﴿٢٨﴾ فَٱدۡخُلِي فِي عِبَٰدِي ﴿٢٩﴾ وَٱدۡخُلِي جَنَّتِي ﴿٣٠﴾

سُورَةُ البَلَدِ

ترتيبها ٩٠ — آياتها ٢٠

بِسۡمِ ٱللَّهِ ٱلرَّحۡمَٰنِ ٱلرَّحِيمِ

لَآ أُقۡسِمُ بِهَٰذَا ٱلۡبَلَدِ ﴿١﴾ وَأَنتَ حِلُّۢ بِهَٰذَا ٱلۡبَلَدِ ﴿٢﴾ وَوَالِدٖ وَمَا وَلَدَ
﴿٣﴾ لَقَدۡ خَلَقۡنَا ٱلۡإِنسَٰنَ فِي كَبَدٍ ﴿٤﴾ أَيَحۡسَبُ أَن لَّن يَقۡدِرَ عَلَيۡهِ
أَحَدٞ ﴿٥﴾ يَقُولُ أَهۡلَكۡتُ مَالٗا لُّبَدًا ﴿٦﴾ أَيَحۡسَبُ أَن لَّمۡ يَرَهُۥٓ أَحَدٌ
﴿٧﴾ أَلَمۡ نَجۡعَل لَّهُۥ عَيۡنَيۡنِ ﴿٨﴾ وَلِسَانٗا وَشَفَتَيۡنِ ﴿٩﴾ وَهَدَيۡنَٰهُ
ٱلنَّجۡدَيۡنِ ﴿١٠﴾ فَلَا ٱقۡتَحَمَ ٱلۡعَقَبَةَ ﴿١١﴾ وَمَآ أَدۡرَىٰكَ مَا ٱلۡعَقَبَةُ ﴿١٢﴾
فَكُّ رَقَبَةٍ ﴿١٣﴾ أَوۡ إِطۡعَٰمٞ فِي يَوۡمٖ ذِي مَسۡغَبَةٖ ﴿١٤﴾ يَتِيمٗا ذَا مَقۡرَبَةٍ
﴿١٥﴾ أَوۡ مِسۡكِينٗا ذَا مَتۡرَبَةٖ ﴿١٦﴾ ثُمَّ كَانَ مِنَ ٱلَّذِينَ ءَامَنُواْ وَتَوَاصَوۡاْ
بِٱلصَّبۡرِ وَتَوَاصَوۡاْ بِٱلۡمَرۡحَمَةِ ﴿١٧﴾ أُوْلَٰٓئِكَ أَصۡحَٰبُ ٱلۡمَيۡمَنَةِ ﴿١٨﴾ وَٱلَّذِينَ
كَفَرُواْ بِـَٔايَٰتِنَا هُمۡ أَصۡحَٰبُ ٱلۡمَشۡـَٔمَةِ ﴿١٩﴾ عَلَيۡهِمۡ نَارٞ مُّؤۡصَدَةُۢ ﴿٢٠﴾

سُورَةُ الشَّمۡسِ

ترتيبها ٩١ — آياتها ١٥

مدّ ٦ حركات لزوماً — مدّ ٢ أو ٤ أو ٦ جوازاً	إخفاء ، ومواقع الغُنَّة (حركتان)	تفخيم
مدّ واجب ٤ أو ٥ حركات — مدّ حركتان	إدغام ، وما لا يُلفظ	قلقلة

البلد

- لَا يُوثِقُ: لا يَشُدُّ بالسَّلاسِلِ والأغلال
- لَآ أُقۡسِمُ: أُقسِمُ و«لا» مَزيدَة
- رُبع الحزب ٦٠
- بِهَٰذَا ٱلۡبَلَدِ: مَكّة المُكرَّمة
- حِلُّۢ بِهَٰذَا ٱلۡبَلَدِ: حلالٌ لكَ ما تَصنَعُ به يومئذٍ
- كَبَدٍ: نَصَبٍ ومَشَقّةٍ. أو مكابَدةٍ للشّدائِد
- مَالٗا لُّبَدًا: كثيراً
- ٱلنَّجۡدَيۡنِ: طَريقَي الخَيرِ والشَّرِّ
- فَلَا ٱقۡتَحَمَ ٱلۡعَقَبَةَ: فلا جاهَدَ نَفسَهُ في الطاعاتِ
- فَكُّ رَقَبَةٍ: تخليصها من الرِّقِّ بالإعتاقِ
- مَسۡغَبَةٖ: مَجاعَةٍ
- مَقۡرَبَةٍ: قَرابَةٍ في النَّسَبِ
- مَتۡرَبَةٖ: فاقةٍ شَديدَةٍ
- ٱلۡمَشۡـَٔمَةِ: الشُّؤمِ
- نَارٞ مُّؤۡصَدَةُۢ: مُغلَقةٌ أبوابُها

بِسْمِ اللَّهِ الرَّحْمَٰنِ الرَّحِيمِ

وَالشَّمْسِ وَضُحَاهَا ﴿١﴾ وَالْقَمَرِ إِذَا تَلَاهَا ﴿٢﴾ وَالنَّهَارِ إِذَا جَلَّاهَا ﴿٣﴾
وَاللَّيْلِ إِذَا يَغْشَاهَا ﴿٤﴾ وَالسَّمَاءِ وَمَا بَنَاهَا ﴿٥﴾ وَالْأَرْضِ وَمَا طَحَاهَا
﴿٦﴾ وَنَفْسٍ وَمَا سَوَّاهَا ﴿٧﴾ فَأَلْهَمَهَا فُجُورَهَا وَتَقْوَاهَا ﴿٨﴾ قَدْ
أَفْلَحَ مَن زَكَّاهَا ﴿٩﴾ وَقَدْ خَابَ مَن دَسَّاهَا ﴿١٠﴾ كَذَّبَتْ ثَمُودُ
بِطَغْوَاهَا ﴿١١﴾ إِذِ انبَعَثَ أَشْقَاهَا ﴿١٢﴾ فَقَالَ لَهُمْ رَسُولُ اللَّهِ
نَاقَةَ اللَّهِ وَسُقْيَاهَا ﴿١٣﴾ فَكَذَّبُوهُ فَعَقَرُوهَا فَدَمْدَمَ
عَلَيْهِمْ رَبُّهُم بِذَنبِهِمْ فَسَوَّاهَا ﴿١٤﴾ وَلَا يَخَافُ عُقْبَاهَا ﴿١٥﴾

سُورَةُ اللَّيْلِ

ترتيبها ٩٢ — آياتها ٢١

بِسْمِ اللَّهِ الرَّحْمَٰنِ الرَّحِيمِ

وَاللَّيْلِ إِذَا يَغْشَىٰ ﴿١﴾ وَالنَّهَارِ إِذَا تَجَلَّىٰ ﴿٢﴾ وَمَا خَلَقَ الذَّكَرَ وَالْأُنثَىٰ ﴿٣﴾
إِنَّ سَعْيَكُمْ لَشَتَّىٰ ﴿٤﴾ فَأَمَّا مَنْ أَعْطَىٰ وَاتَّقَىٰ ﴿٥﴾ وَصَدَّقَ بِالْحُسْنَىٰ ﴿٦﴾
فَسَنُيَسِّرُهُ لِلْيُسْرَىٰ ﴿٧﴾ وَأَمَّا مَن بَخِلَ وَاسْتَغْنَىٰ ﴿٨﴾ وَكَذَّبَ بِالْحُسْنَىٰ
﴿٩﴾ فَسَنُيَسِّرُهُ لِلْعُسْرَىٰ ﴿١٠﴾ وَمَا يُغْنِي عَنْهُ مَالُهُ إِذَا تَرَدَّىٰ ﴿١١﴾ إِنَّ عَلَيْنَا
لَلْهُدَىٰ ﴿١٢﴾ وَإِنَّ لَنَا لَلْآخِرَةَ وَالْأُولَىٰ ﴿١٣﴾ فَأَنذَرْتُكُمْ نَارًا تَلَظَّىٰ ﴿١٤﴾

مدّ ٦ حركات لزوماً — مدّ ٢ أو ٤ أو ٦ جوازاً	إخفاء ، ومواقع الغُنَّة (حركتان)	تفخيم
مدّ واجب ٤ أو ٥ حركات — مدّ حركتان	إدغام ، وما لا يُلفَظ	قلقلة

- ضُحَاهَا: ضَوْئِهَا إذا أشرقت
- تَلَاهَا: تبعها في الإضاءة
- جَلَّاهَا: أظهر الشمس للرائين
- يَغْشَاهَا: يُغطّيها بظلمته
- طَحَاهَا: بَسَطها ووطّأها
- سَوَّاهَا: عدّل أعضاءها وقواها
- فُجُورَهَا وتَقْوَاهَا: مَعْصِيَتَها وطاعتها
- قد أفلح: فاز بالبُغْيَة
- من زكّاها: طهّرها وأنماها بالتّقوى
- قد خاب: خسر
- من دسّاها: نقصها وأخفاها بالفجور
- بطَغْوَاهَا: بطُغْيانها وعُدوانها
- انبعث أشقاها: قام مُسرعاً لعقر النّاقة
- ناقة الله: احذروا عقرها
- سُقياها: نصيبها من الماء
- فدمدم عليهم: أطبق العذاب عليهم
- فسوّاها: عمّهم بالدّمدمة والإهلاك
- عُقْبَاهَا: عاقبة هذه العقوبة
- يغشى: يُغطّي الأشياء بظلمته
- تجلّى: ظهر بضوئه
- لشتّى: لمختلف في الجزاء
- صدّق بالحسنى: بالملة الحسنى وهي الإسلام
- فسنيسّره: فسنوفّقه ونُهيّئه
- لليُسرى: للخصلة المؤدّية إلى اليُسر
- للعُسرى: للخصلة المؤدّية إلى العُسر
- ما يغني عنه: ما يدفع العذاب عنه
- تردّى: هلك أو سقط في النار
- نارًا تلظّى: تتلهّب وتتوقّد

الشمس
الليل

لَا يَصۡلَىٰهَآ إِلَّا ٱلۡأَشۡقَى ١٥ ٱلَّذِي كَذَّبَ وَتَوَلَّىٰ ١٦ وَسَيُجَنَّبُهَا
ٱلۡأَتۡقَى ١٧ ٱلَّذِي يُؤۡتِي مَالَهُۥ يَتَزَكَّىٰ ١٨ وَمَا لِأَحَدٍ عِندَهُۥ مِن
نِّعۡمَةٖ تُجۡزَىٰٓ ١٩ إِلَّا ٱبۡتِغَآءَ وَجۡهِ رَبِّهِ ٱلۡأَعۡلَىٰ ٢٠ وَلَسَوۡفَ يَرۡضَىٰ ٢١

سُورَةُ الضُّحَىٰ

ترتيبها ٩٣ — آياتها ١١

بِسۡمِ ٱللَّهِ ٱلرَّحۡمَٰنِ ٱلرَّحِيمِ

وَٱلضُّحَىٰ ١ وَٱلَّيۡلِ إِذَا سَجَىٰ ٢ مَا وَدَّعَكَ رَبُّكَ وَمَا قَلَىٰ ٣
وَلَلۡأٓخِرَةُ خَيۡرٞ لَّكَ مِنَ ٱلۡأُولَىٰ ٤ وَلَسَوۡفَ يُعۡطِيكَ رَبُّكَ
فَتَرۡضَىٰٓ ٥ أَلَمۡ يَجِدۡكَ يَتِيمٗا فَـَٔاوَىٰ ٦ وَوَجَدَكَ ضَآلّٗا
فَهَدَىٰ ٧ وَوَجَدَكَ عَآئِلٗا فَأَغۡنَىٰ ٨ فَأَمَّا ٱلۡيَتِيمَ فَلَا تَقۡهَرۡ
٩ وَأَمَّا ٱلسَّآئِلَ فَلَا تَنۡهَرۡ ١٠ وَأَمَّا بِنِعۡمَةِ رَبِّكَ فَحَدِّثۡ ١١

سُورَةُ الشَّرۡحِ

ترتيبها ٩٤ — آياتها ٨

بِسۡمِ ٱللَّهِ ٱلرَّحۡمَٰنِ ٱلرَّحِيمِ

أَلَمۡ نَشۡرَحۡ لَكَ صَدۡرَكَ ١ وَوَضَعۡنَا عَنكَ وِزۡرَكَ ٢ ٱلَّذِيٓ
أَنقَضَ ظَهۡرَكَ ٣ وَرَفَعۡنَا لَكَ ذِكۡرَكَ ٤ فَإِنَّ مَعَ ٱلۡعُسۡرِ يُسۡرًا ٥ إِنَّ
مَعَ ٱلۡعُسۡرِ يُسۡرٗا ٦ فَإِذَا فَرَغۡتَ فَٱنصَبۡ ٧ وَإِلَىٰ رَبِّكَ فَٱرۡغَب ٨

- لَا يَصۡلَىٰهَآ: لا يَدْخُلُها وَلا يُقاسِي حَرَّها
- سَيُجَنَّبُهَا: سَيُبْعَدُ عنها
- يَتَزَكَّىٰ: يَتَطَهَّرُ بِهِ من الذُّنُوبِ
- تُجۡزَىٰٓ: تُكافَأُ
- ٱلضُّحَىٰ: وَقْتِ ارتفاعِ الشَّمْسِ
- سَجَىٰ: اشْتَدَّ ظلامُهُ
- مَا وَدَّعَكَ رَبُّكَ: ما تَرَكَكَ منذ اختارَكَ
- مَا قَلَىٰ: ما أَبْغَضَكَ منذ أَحبَّكَ
- يَجِدۡكَ: يَعْلَمْكَ
- فَـَٔاوَىٰ: فضَمَّكَ إلى مَنْ يَرْعاكَ
- ضَآلّٗا: غافِلاً عن تفاصيل الشريعة
- عَآئِلٗا: فقيراً
- فَلَا تَقۡهَرۡ: فَلا تَغْلِبْهُ عَلى مالِه ولا تَسْتَذِلَّه
- فَلَا تَنۡهَرۡ: فلا تَزْجُرْهُ، وارْفُق بِهِ
- نَشۡرَحۡ لَكَ: نُفسِحْ وَنُوسِعْ لَكَ
- وَضَعۡنَا عَنكَ: خَفَّفنا عَنْكَ
- وِزۡرَكَ: ثِقَل أَعْباءِ النُّبوَّةِ

نصف الحزب ٦٠ — الضحى، الشرح

- أَنقَضَ ظَهۡرَكَ: أَثْقَلَهُ وأَوْهَنَهُ
- فَإِذَا فَرَغۡتَ: مِنْ عِبادةٍ
- فَٱنصَبۡ: فاجْتَهِدْ في عِبادةٍ أُخرى
- فَٱرۡغَب: فاجْعَل رَغْبَتَكَ

مدّ ٦ حركات لزوماً — مدّ ٢ أو ٤ أو ٦ جوازاً	إخفاء، ومواقع الغُنَّة (حركتان)	تفخيم
مدّ واجب ٤ أو ٥ حركات — مدّ حركتان	إدغام، وما لا يُلفَظ	قلقلة

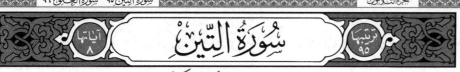

سُورَةُ التِّين
ترتيبها ٩٥ آياتها ٨

بِسْمِ ٱللَّهِ ٱلرَّحْمَٰنِ ٱلرَّحِيمِ

وَٱلتِّينِ وَٱلزَّيْتُونِ ﴿١﴾ وَطُورِ سِينِينَ ﴿٢﴾ وَهَٰذَا ٱلْبَلَدِ ٱلْأَمِينِ ﴿٣﴾
لَقَدْ خَلَقْنَا ٱلْإِنسَٰنَ فِىٓ أَحْسَنِ تَقْوِيمٍ ﴿٤﴾ ثُمَّ رَدَدْنَٰهُ أَسْفَلَ سَٰفِلِينَ
﴿٥﴾ إِلَّا ٱلَّذِينَ ءَامَنُوا۟ وَعَمِلُوا۟ ٱلصَّٰلِحَٰتِ فَلَهُمْ أَجْرٌ غَيْرُ مَمْنُونٍ ﴿٦﴾
فَمَا يُكَذِّبُكَ بَعْدُ بِٱلدِّينِ ﴿٧﴾ أَلَيْسَ ٱللَّهُ بِأَحْكَمِ ٱلْحَٰكِمِينَ ﴿٨﴾

سُورَةُ العَلَق
ترتيبها ٩٦ آياتها ١٩

بِسْمِ ٱللَّهِ ٱلرَّحْمَٰنِ ٱلرَّحِيمِ

ٱقْرَأْ بِٱسْمِ رَبِّكَ ٱلَّذِى خَلَقَ ﴿١﴾ خَلَقَ ٱلْإِنسَٰنَ مِنْ عَلَقٍ ﴿٢﴾ ٱقْرَأْ وَرَبُّكَ
ٱلْأَكْرَمُ ﴿٣﴾ ٱلَّذِى عَلَّمَ بِٱلْقَلَمِ ﴿٤﴾ عَلَّمَ ٱلْإِنسَٰنَ مَا لَمْ يَعْلَمْ ﴿٥﴾ كَلَّآ إِنَّ
ٱلْإِنسَٰنَ لَيَطْغَىٰٓ ﴿٦﴾ أَن رَّءَاهُ ٱسْتَغْنَىٰٓ ﴿٧﴾ إِنَّ إِلَىٰ رَبِّكَ ٱلرُّجْعَىٰٓ ﴿٨﴾ أَرَءَيْتَ
ٱلَّذِى يَنْهَىٰ ﴿٩﴾ عَبْدًا إِذَا صَلَّىٰٓ ﴿١٠﴾ أَرَءَيْتَ إِن كَانَ عَلَى ٱلْهُدَىٰٓ ﴿١١﴾ أَوْ أَمَرَ
بِٱلتَّقْوَىٰٓ ﴿١٢﴾ أَرَءَيْتَ إِن كَذَّبَ وَتَوَلَّىٰٓ ﴿١٣﴾ أَلَمْ يَعْلَم بِأَنَّ ٱللَّهَ يَرَىٰ ﴿١٤﴾ كَلَّا لَئِن
لَّمْ يَنتَهِ لَنَسْفَعًۢا بِٱلنَّاصِيَةِ ﴿١٥﴾ نَاصِيَةٍ كَٰذِبَةٍ خَاطِئَةٍ ﴿١٦﴾ فَلْيَدْعُ نَادِيَهُۥ
﴿١٧﴾ سَنَدْعُ ٱلزَّبَانِيَةَ ﴿١٨﴾ كَلَّا لَا تُطِعْهُ وَٱسْجُدْ وَٱقْتَرِب ۩ ﴿١٩﴾

- **ٱلتِّينِ وَٱلزَّيْتُونِ**: مَنْبتهما من الأرض المباركة
- **طُورِ سِينِينَ**: جبَل المُناجاة
- **ٱلْبَلَدِ ٱلْأَمِينِ**: مكّة المكرَّمة
- **أَحْسَنِ تَقْوِيمٍ**: أعْدَلِ قامةٍ وأحْسَنِ صورةٍ
- **أَسْفَلَ سَٰفِلِينَ**: إلى الهَرَم وأرْذَلِ العُمُر
- **غَيْرُ مَمْنُونٍ**: غيْرُ مَقْطوع عنهم
- **بِٱلدِّينِ**: بالْجَزاءِ
- **عَلَقٍ**: دَم جامِدٍ
- **لَيَطْغَىٰٓ**: ليُجاوِزُ الحَدَّ في العِصْيانِ
- **ٱلرُّجْعَىٰٓ**: الرُّجُوعَ في الآخرة
- **لَنَسْفَعًۢا بِٱلنَّاصِيَةِ**: لَنَسْحَبَنَّهُ بناصيته إلى النار
- **فَلْيَدْعُ نَادِيَهُۥ**: أهْلَ مَجْلسِه
- **سَنَدْعُ ٱلزَّبَانِيَةَ**: مَلائكة العَذاب

التين
العلق

سجدة

مدّ ٦ حركات لزوماً — مدّ ٢ أو ٤ أو ٦ جوازاً — إخفاء، ومواقع الغُنَّة (حركتان) — تفخيم
مدّ واجب ٤ أو ٥ حركات — مدّ حركتان — إدغام، وما لا يُلفظ — قلقلة

سُورَةُ القَدۡرِ

ترتيبها ٩٧ — آياتها ٥

بِسۡمِ ٱللَّهِ ٱلرَّحۡمَٰنِ ٱلرَّحِيمِ

إِنَّآ أَنزَلۡنَٰهُ فِي لَيۡلَةِ ٱلۡقَدۡرِ ١ وَمَآ أَدۡرَىٰكَ مَا لَيۡلَةُ ٱلۡقَدۡرِ ٢
لَيۡلَةُ ٱلۡقَدۡرِ خَيۡرٞ مِّنۡ أَلۡفِ شَهۡرٖ ٣ تَنَزَّلُ ٱلۡمَلَٰٓئِكَةُ وَٱلرُّوحُ
فِيهَا بِإِذۡنِ رَبِّهِم مِّن كُلِّ أَمۡرٖ ٤ سَلَٰمٌ هِيَ حَتَّىٰ مَطۡلَعِ ٱلۡفَجۡرِ ٥

سُورَةُ البَيِّنَةِ

ترتيبها ٩٨ — آياتها ٨

بِسۡمِ ٱللَّهِ ٱلرَّحۡمَٰنِ ٱلرَّحِيمِ

لَمۡ يَكُنِ ٱلَّذِينَ كَفَرُواْ مِنۡ أَهۡلِ ٱلۡكِتَٰبِ وَٱلۡمُشۡرِكِينَ مُنفَكِّينَ
حَتَّىٰ تَأۡتِيَهُمُ ٱلۡبَيِّنَةُ ١ رَسُولٞ مِّنَ ٱللَّهِ يَتۡلُواْ صُحُفٗا مُّطَهَّرَةٗ ٢
فِيهَا كُتُبٞ قَيِّمَةٞ ٣ وَمَا تَفَرَّقَ ٱلَّذِينَ أُوتُواْ ٱلۡكِتَٰبَ إِلَّا مِنۢ
بَعۡدِ مَا جَآءَتۡهُمُ ٱلۡبَيِّنَةُ ٤ وَمَآ أُمِرُوٓاْ إِلَّا لِيَعۡبُدُواْ ٱللَّهَ مُخۡلِصِينَ
لَهُ ٱلدِّينَ حُنَفَآءَ وَيُقِيمُواْ ٱلصَّلَوٰةَ وَيُؤۡتُواْ ٱلزَّكَوٰةَۚ وَذَٰلِكَ دِينُ
ٱلۡقَيِّمَةِ ٥ إِنَّ ٱلَّذِينَ كَفَرُواْ مِنۡ أَهۡلِ ٱلۡكِتَٰبِ وَٱلۡمُشۡرِكِينَ
فِي نَارِ جَهَنَّمَ خَٰلِدِينَ فِيهَآۚ أُوْلَٰٓئِكَ هُمۡ شَرُّ ٱلۡبَرِيَّةِ ٦ إِنَّ
ٱلَّذِينَ ءَامَنُواْ وَعَمِلُواْ ٱلصَّٰلِحَٰتِ أُوْلَٰٓئِكَ هُمۡ خَيۡرُ ٱلۡبَرِيَّةِ ٧

- **تَأۡتِيَهُمُ ٱلۡبَيِّنَةُ**: الحُجَّةُ الواضِحَة
- **حُنَفَآءَ**: مائلينَ عن الباطل إلى الإسلام
- **دِينُ ٱلۡقَيِّمَةِ**: المِلّةِ المُسْتَقِيمَةِ. أو الكُتُبِ القَيِّمَة
- **ٱلۡبَرِيَّةِ**: الخَلائِقِ

القدر
البينة

مدّ ٦ حركات لزوماً ● مدّ ٢ أو ٤ أو ٦ جوازاً	إخفاء، ومواقع الغُنَّة (حركتان)	تفخيم
مدّ واجب ٤ أو ٥ حركات ● مدّ حركتان	إدغام، وما لا يُلفَظ	قلقلة

جَزَآؤُهُمْ عِندَ رَبِّهِمْ جَنَّٰتُ عَدْنٍ تَجْرِى مِن تَحْتِهَا ٱلْأَنْهَٰرُ خَٰلِدِينَ
فِيهَآ أَبَدًا ۖ رَّضِىَ ٱللَّهُ عَنْهُمْ وَرَضُوا۟ عَنْهُ ۚ ذَٰلِكَ لِمَنْ خَشِىَ رَبَّهُۥ ٨

سُورَةُ الزَّلْزَلَةِ

ترتيبها ٩٩ — آياتها ٨

بِسْمِ ٱللَّهِ ٱلرَّحْمَٰنِ ٱلرَّحِيمِ

إِذَا زُلْزِلَتِ ٱلْأَرْضُ زِلْزَالَهَا ١ وَأَخْرَجَتِ ٱلْأَرْضُ أَثْقَالَهَا
٢ وَقَالَ ٱلْإِنسَٰنُ مَا لَهَا ٣ يَوْمَئِذٍ تُحَدِّثُ أَخْبَارَهَا ٤
بِأَنَّ رَبَّكَ أَوْحَىٰ لَهَا ٥ يَوْمَئِذٍ يَصْدُرُ ٱلنَّاسُ أَشْتَاتًا
لِّيُرَوْا۟ أَعْمَٰلَهُمْ ٦ فَمَن يَعْمَلْ مِثْقَالَ ذَرَّةٍ خَيْرًا
يَرَهُۥ ٧ وَمَن يَعْمَلْ مِثْقَالَ ذَرَّةٍ شَرًّا يَرَهُۥ ٨

سُورَةُ العَادِيَاتِ

ترتيبها ١٠٠ — آياتها ١١

بِسْمِ ٱللَّهِ ٱلرَّحْمَٰنِ ٱلرَّحِيمِ

وَٱلْعَٰدِيَٰتِ ضَبْحًا ١ فَٱلْمُورِيَٰتِ قَدْحًا ٢ فَٱلْمُغِيرَٰتِ صُبْحًا
٣ فَأَثَرْنَ بِهِۦ نَقْعًا ٤ فَوَسَطْنَ بِهِۦ جَمْعًا ٥ إِنَّ ٱلْإِنسَٰنَ
لِرَبِّهِۦ لَكَنُودٌ ٦ وَإِنَّهُۥ عَلَىٰ ذَٰلِكَ لَشَهِيدٌ ٧ وَإِنَّهُۥ لِحُبِّ
ٱلْخَيْرِ لَشَدِيدٌ ٨ ۞ أَفَلَا يَعْلَمُ إِذَا بُعْثِرَ مَا فِى ٱلْقُبُورِ ٩

- زُلْزِلَتِ ٱلْأَرْضُ: حُرِّكَتْ تَحْرِيكاً عنيفاً
- أَثْقَالَهَا: مَوْتَاهَا
- تُحَدِّثُ أَخْبَارَهَا: تُخْبِرُ بما عُمِلَ عليها
- أَوْحَىٰ لَهَا: جَعَلَ في حالها دلالةً على ذلك
- يَصْدُرُ ٱلنَّاسُ: يَخْرُجُونَ مِنْ قُبورِهِمْ إلى المحشَرِ
- أَشْتَاتًا: مُتفرِّقِين
- مِثْقَالَ ذَرَّةٍ: وَزْنَ أصغر نملة
- ٱلْعَٰدِيَٰتِ: خيل الغُزاة تَعْدُو بسُرْعَةٍ
- ضَبْحًا: هُوَ صَوْتُ أنفاسِها إذا عَدَتْ
- فَٱلْمُورِيَٰتِ قَدْحًا: المخرجات النارَ بصَكِّ حوافرها
- فَٱلْمُغِيرَٰتِ صُبْحًا: المباغتات للعدوِّ وقتَ الصباح
- فَأَثَرْنَ بِهِۦ نَقْعًا: هَيَّجْنَ في الصُّبْحِ غُباراً
- فَوَسَطْنَ بِهِۦ جَمْعًا: فتَوَسَّطْنَ فيه جمعاً من الأعداء
- لَكَنُودٌ: لكفُورٌ جحُودٌ
- إِنَّهُۥ لِحُبِّ ٱلْخَيْرِ: المال
- لَشَدِيدٌ: لقويٌّ
- بُعْثِرَ: أُثِيرَ وأُخرِجَ

الزلزلة
العاديات
ثلاثة أرباع الحزب ٦٠

مدّ ٦ حركات لزوماً — مدّ ٢ أو ٤ أو ٦ جوازاً — إخفاء، ومواقع الغُنَّة (حركتان) — تفخيم
مدّ واجب ٤ أو ٥ حركات — مدّ حركتان — إدغام، وما لا يُلفَظ — قلقلة

وَحُصِّلَ مَا فِي ٱلصُّدُورِ ﴿١٠﴾ إِنَّ رَبَّهُم بِهِمۡ يَوۡمَئِذٖ لَّخَبِيرُۢ ﴿١١﴾

سُورَةُ القَارِعَةِ

ترتيبها ١٠١ — آياتها ١١

بِسۡمِ ٱللَّهِ ٱلرَّحۡمَٰنِ ٱلرَّحِيمِ

ٱلۡقَارِعَةُ ﴿١﴾ مَا ٱلۡقَارِعَةُ ﴿٢﴾ وَمَآ أَدۡرَىٰكَ مَا ٱلۡقَارِعَةُ
﴿٣﴾ يَوۡمَ يَكُونُ ٱلنَّاسُ كَٱلۡفَرَاشِ ٱلۡمَبۡثُوثِ ﴿٤﴾
وَتَكُونُ ٱلۡجِبَالُ كَٱلۡعِهۡنِ ٱلۡمَنفُوشِ ﴿٥﴾ فَأَمَّا
مَن ثَقُلَتۡ مَوَٰزِينُهُۥ ﴿٦﴾ فَهُوَ فِي عِيشَةٖ رَّاضِيَةٖ
﴿٧﴾ وَأَمَّا مَنۡ خَفَّتۡ مَوَٰزِينُهُۥ ﴿٨﴾ فَأُمُّهُۥ هَاوِيَةٞ
﴿٩﴾ وَمَآ أَدۡرَىٰكَ مَا هِيَهۡ ﴿١٠﴾ نَارٌ حَامِيَةُۢ ﴿١١﴾

سُورَةُ التَّكَاثُرِ

ترتيبها ١٠٢ — آياتها ٨

بِسۡمِ ٱللَّهِ ٱلرَّحۡمَٰنِ ٱلرَّحِيمِ

أَلۡهَىٰكُمُ ٱلتَّكَاثُرُ ﴿١﴾ حَتَّىٰ زُرۡتُمُ ٱلۡمَقَابِرَ ﴿٢﴾ كَلَّا سَوۡفَ
تَعۡلَمُونَ ﴿٣﴾ ثُمَّ كَلَّا سَوۡفَ تَعۡلَمُونَ ﴿٤﴾ كَلَّا لَوۡ تَعۡلَمُونَ
عِلۡمَ ٱلۡيَقِينِ ﴿٥﴾ لَتَرَوُنَّ ٱلۡجَحِيمَ ﴿٦﴾ ثُمَّ لَتَرَوُنَّهَا
عَيۡنَ ٱلۡيَقِينِ ﴿٧﴾ ثُمَّ لَتُسۡـَٔلُنَّ يَوۡمَئِذٍ عَنِ ٱلنَّعِيمِ ﴿٨﴾

- **حُصِّلَ**: جُمِعَ . أو مُيِّزَ
- **ٱلۡقَارِعَةُ**: القِيامَةُ
- **كَٱلۡفَرَاشِ**: ما يَطِيرُ ويَتَهافَتُ في النّار
- **ٱلۡمَبۡثُوثِ**: المُتفرِّق المُنْتشِر
- **كَٱلۡعِهۡنِ**: كالصُّوف المصْبُوغ ألْواناً
- **ٱلۡمَنفُوشِ**: المُفرَّق بالأصابِع ونَحْوِها
- **ثَقُلَتۡ**: رَجَحَتْ
- **فَأُمُّهُۥ**: فمأْواهُ ومَسْكَنُهُ
- **هَاوِيَةٞ**: الطبَقَة السابعة من النار
- **أَلۡهَىٰكُمُ**: شَغَلَكُمْ عن طاعة ربكم
- **ٱلتَّكَاثُرُ**: التَّباهي بكَثْرَة نعم الدنيا
- **عِلۡمَ ٱلۡيَقِينِ**: العِلْمَ اليَقِينيَّ
- **عَيۡنَ ٱلۡيَقِينِ**: نَفْسَ اليَقِين
- **ٱلنَّعِيمِ**: ما يُتَلَذَّذُ بِهِ في الدُّنْيا

القارعة
التكاثر

مدّ ٦ حركات لزوماً — مدّ ٢ أو ٤ أو ٦ جوازاً	إخفاء، ومواقع الغُنَّة (حركتان)	تفخيم
مدّ واجب ٤ أو ٥ حركات — مدّ حركتان	إدغام، وما لا يُلفَظ	قلقلة

سورة العصر

ترتيبها ١٠٣ — آياتها ٣

بِسۡمِ ٱللَّهِ ٱلرَّحۡمَٰنِ ٱلرَّحِيمِ

وَٱلۡعَصۡرِ ١ إِنَّ ٱلۡإِنسَٰنَ لَفِي خُسۡرٍ ٢ إِلَّا ٱلَّذِينَ ءَامَنُواْ
وَعَمِلُواْ ٱلصَّٰلِحَٰتِ وَتَوَاصَوۡاْ بِٱلۡحَقِّ وَتَوَاصَوۡاْ بِٱلصَّبۡرِ ٣

سورة الهمزة

ترتيبها ١٠٤ — آياتها ٩

بِسۡمِ ٱللَّهِ ٱلرَّحۡمَٰنِ ٱلرَّحِيمِ

وَيۡلٞ لِّكُلِّ هُمَزَةٖ لُّمَزَةٍ ١ ٱلَّذِي جَمَعَ مَالٗا وَعَدَّدَهُۥ ٢
يَحۡسَبُ أَنَّ مَالَهُۥٓ أَخۡلَدَهُۥ ٣ كَلَّاۖ لَيُنۢبَذَنَّ فِي ٱلۡحُطَمَةِ ٤
وَمَآ أَدۡرَىٰكَ مَا ٱلۡحُطَمَةُ ٥ نَارُ ٱللَّهِ ٱلۡمُوقَدَةُ ٦ ٱلَّتِي تَطَّلِعُ
عَلَى ٱلۡأَفۡـِٔدَةِ ٧ إِنَّهَا عَلَيۡهِم مُّؤۡصَدَةٞ ٨ فِي عَمَدٖ مُّمَدَّدَةِۭ ٩

سورة الفيل

ترتيبها ١٠٥ — آياتها ٥

بِسۡمِ ٱللَّهِ ٱلرَّحۡمَٰنِ ٱلرَّحِيمِ

أَلَمۡ تَرَ كَيۡفَ فَعَلَ رَبُّكَ بِأَصۡحَٰبِ ٱلۡفِيلِ ١ أَلَمۡ يَجۡعَلۡ كَيۡدَهُمۡ
فِي تَضۡلِيلٖ ٢ وَأَرۡسَلَ عَلَيۡهِمۡ طَيۡرًا أَبَابِيلَ ٣ تَرۡمِيهِم
بِحِجَارَةٖ مِّن سِجِّيلٖ ٤ فَجَعَلَهُمۡ كَعَصۡفٖ مَّأۡكُولِۭ ٥

- **ٱلۡعَصۡرِ**: صلاةِ العَصْرِ أو عَصْرِ النُّبوَّةِ
- **لَفِي خُسۡرٍ**: خُسْرانٍ ونُقْصانٍ
- **تَوَاصَوۡاْ**: أَوْصَى بَعْضُهُمْ بَعْضاً
- **وَيۡلٞ**: هَلَكَةٌ أو حَسْرَةٌ
- **هُمَزَةٖ لُّمَزَةٍ**: طَعَّانٍ عَيَّابٍ للنَّاسِ
- **عَدَّدَهُۥ**: أَحْصَاهُ أو أَعَدَّهُ للنَّوائِبِ
- **أَخۡلَدَهُۥ**: يُخَلِّدُهُ في الدُّنيا
- **لَيُنۢبَذَنَّ**: لَيُطْرَحَنَّ
- **ٱلۡحُطَمَةِ**: جَهَنَّمَ ؛ لِحَطْمِهَا من فيها
- **تَطَّلِعُ عَلَى ٱلۡأَفۡـِٔدَةِ**: يَبْلُغُ أَلَمُها أوساطَ القلوبِ
- **مُّؤۡصَدَةٞ**: مُطْبَقَةٌ مُغْلَقَةٌ
- **فِي عَمَدٖ مُّمَدَّدَةِۭ**: بِعَمَدٍ مَمْدُودةٍ على أبوابِها
- **يَجۡعَلۡ كَيۡدَهُمۡ**: سَعْيَهُمْ لتَخريبِ الكَعْبةِ المعظَّمةِ
- **تَضۡلِيلٖ**: تَضْييعٍ وإِبْطالٍ
- **طَيۡرًا أَبَابِيلَ**: جَماعاتٍ متفرِّقةً
- **سِجِّيلٖ**: طينٍ مُتَحَجِّرٍ مُحْرَقٍ
- **كَعَصۡفٖ مَّأۡكُولِۭ**: كتِبْنٍ أكَلَتْهُ الدَّوابُّ وَرَاثَتْهُ

العصر
الهمزة
الفيل

مدّ ٦ حركات لزوماً — مدّ ٢ أو ٤ أو ٦ جوازاً	إخفاء ، ومواقع الغُنَّة (حركتان)	تفخيم
مدّ واجب ٤ أو ٥ حركات — مدّ حركتان	إدغام ، وما لا يُلفَظ	قلقلة

سورة قريش
ترتيبها ١٠٦ — آياتها ٤

بِسْمِ اللَّهِ الرَّحْمَٰنِ الرَّحِيمِ

لِإِيلَٰفِ قُرَيْشٍ ﴿١﴾ إِۦلَٰفِهِمْ رِحْلَةَ ٱلشِّتَآءِ وَٱلصَّيْفِ
﴿٢﴾ فَلْيَعْبُدُوا۟ رَبَّ هَٰذَا ٱلْبَيْتِ ﴿٣﴾ ٱلَّذِىٓ أَطْعَمَهُم
مِّن جُوعٍ وَءَامَنَهُم مِّنْ خَوْفٍۭ ﴿٤﴾

سورة الماعون
ترتيبها ١٠٧ — آياتها ٧

بِسْمِ اللَّهِ الرَّحْمَٰنِ الرَّحِيمِ

أَرَءَيْتَ ٱلَّذِى يُكَذِّبُ بِٱلدِّينِ ﴿١﴾ فَذَٰلِكَ ٱلَّذِى
يَدُعُّ ٱلْيَتِيمَ ﴿٢﴾ وَلَا يَحُضُّ عَلَىٰ طَعَامِ ٱلْمِسْكِينِ ﴿٣﴾
فَوَيْلٌ لِّلْمُصَلِّينَ ﴿٤﴾ ٱلَّذِينَ هُمْ عَن صَلَاتِهِمْ سَاهُونَ
﴿٥﴾ ٱلَّذِينَ هُمْ يُرَآءُونَ ﴿٦﴾ وَيَمْنَعُونَ ٱلْمَاعُونَ ﴿٧﴾

سورة الكوثر
ترتيبها ١٠٨ — آياتها ٣

بِسْمِ اللَّهِ الرَّحْمَٰنِ الرَّحِيمِ

إِنَّآ أَعْطَيْنَٰكَ ٱلْكَوْثَرَ ﴿١﴾ فَصَلِّ لِرَبِّكَ وَٱنْحَرْ ﴿٢﴾
إِنَّ شَانِئَكَ هُوَ ٱلْأَبْتَرُ ﴿٣﴾

- لِإِيلَٰفِ قُرَيْشٍ: لجعلهم آلفين الرحلتين
- أَرَءَيْتَ: هَلْ عَرَفْتَ
- يُكَذِّبُ بِٱلدِّينِ: يَجْحَدُ الْجَزاءَ
- يَدُعُّ ٱلْيَتِيمَ: يَدْفَعُهُ دَفْعاً عَنيفاً عَنْ حَقِّهِ
- لَا يَحُضُّ: لاَ يَحُثُّ ولا يَبْعَثُ أحداً
- فَوَيْلٌ: هَلاك . أَوْ حَسْرَة
- سَاهُونَ: غَافِلُونَ غَيْرَ مُبَالِينَ بِها
- يُرَآءُونَ: يَقْصِدُونَ الرِّيَاءَ بأعْمَالِهِمْ
- يَمْنَعُونَ ٱلْمَاعُونَ: العاريةَ المعتادةَ بين الناس بُخْلاً
- أَعْطَيْنَٰكَ ٱلْكَوْثَرَ: نَهْراً فِي الجَنَّةِ . أو الخَيْرَ الْكَثيرَ
- ٱنْحَرْ: الْبُدْنَ نُسُكاً شُكْراً لله تَعالَى
- شَانِئَكَ: مُبْغِضَكَ
- ٱلْأَبْتَرُ: الْمَقْطُوعُ الأثَرِ

مدّ ٦ حركات لزوماً — مدّ ٢ أو ٤ أو ٦ جوازاً	إخفاء ، ومواقع الغُنَّة (حركتان)	تفخيم
مدّ واجب ٤ أو ٥ حركات — مدّ حركتان	إدغام ، وما لا يُلفَظ	قلقلة

قريش
الماعون
الكوثر

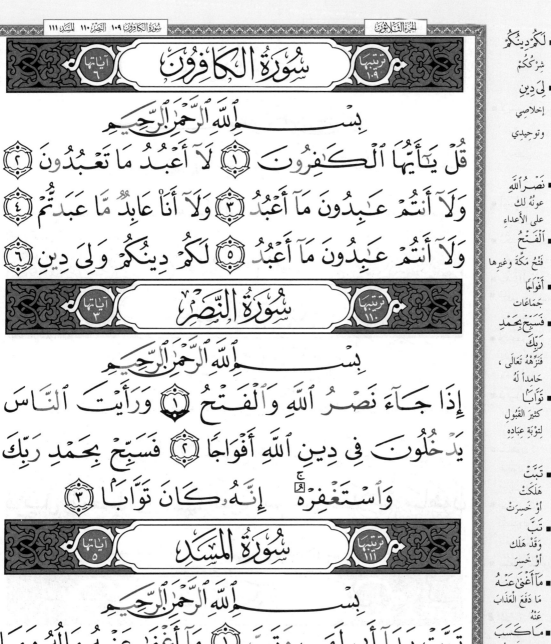

ترتيبها ١٠٩ | آياتها ٦

سُورَةُ الكَافِرُونَ

بِسْمِ ٱللَّهِ ٱلرَّحْمَٰنِ ٱلرَّحِيمِ

قُلْ يَٰٓأَيُّهَا ٱلْكَٰفِرُونَ ﴿١﴾ لَآ أَعْبُدُ مَا تَعْبُدُونَ ﴿٢﴾
وَلَآ أَنتُمْ عَٰبِدُونَ مَآ أَعْبُدُ ﴿٣﴾ وَلَآ أَنَا۠ عَابِدٌ مَّا عَبَدتُّمْ ﴿٤﴾
وَلَآ أَنتُمْ عَٰبِدُونَ مَآ أَعْبُدُ ﴿٥﴾ لَكُمْ دِينُكُمْ وَلِىَ دِينِ ﴿٦﴾

ترتيبها ١١٠ | آياتها ٣

سُورَةُ النَّصْرِ

بِسْمِ ٱللَّهِ ٱلرَّحْمَٰنِ ٱلرَّحِيمِ

إِذَا جَآءَ نَصْرُ ٱللَّهِ وَٱلْفَتْحُ ﴿١﴾ وَرَأَيْتَ ٱلنَّاسَ
يَدْخُلُونَ فِى دِينِ ٱللَّهِ أَفْوَاجًا ﴿٢﴾ فَسَبِّحْ بِحَمْدِ رَبِّكَ
وَٱسْتَغْفِرْهُ ۚ إِنَّهُۥ كَانَ تَوَّابًۢا ﴿٣﴾

ترتيبها ١١١ | آياتها ٥

سُورَةُ المَسَدِ

بِسْمِ ٱللَّهِ ٱلرَّحْمَٰنِ ٱلرَّحِيمِ

تَبَّتْ يَدَآ أَبِى لَهَبٍ وَتَبَّ ﴿١﴾ مَآ أَغْنَىٰ عَنْهُ مَالُهُۥ وَمَا
كَسَبَ ﴿٢﴾ سَيَصْلَىٰ نَارًا ذَاتَ لَهَبٍ ﴿٣﴾ وَٱمْرَأَتُهُۥ
حَمَّالَةَ ٱلْحَطَبِ ﴿٤﴾ فِى جِيدِهَا حَبْلٌ مِّن مَّسَدٍۭ ﴿٥﴾

- لَكُمْ دِينُكُمْ: شِرْكُكُمْ
- لِىَ دِينِ: إخلاصي وتوحيدي
- نَصْرُ ٱللَّهِ: عونُهُ لك على الأعداءِ
- ٱلْفَتْحُ: فَتْحُ مَكَّةَ وغيرِها
- أَفْوَاجًا: جماعات
- فَسَبِّحْ بِحَمْدِ رَبِّكَ: فنزِّهْهُ تعالى، حامداً لَهُ
- تَوَّابًا: كثيرَ القَبُولِ لِتَوْبَةِ عِبادِهِ
- تَبَّتْ: هَلَكَتْ أوْ خَسِرَتْ
- تَبَّ: وقَدْ هَلَكَ أوْ خَسِرَ
- مَآ أَغْنَىٰ عَنْهُ: ما دَفَعَ العَذَابَ عَنْهُ
- مَا كَسَبَ: الذي كَسَبَهُ بنفسِه
- سَيَصْلَىٰ نَارًا: سَيَدْخُلُهَا أو يُقَاسِي حَرَّهَا
- جِيدِهَا: عُنُقِهَا
- مِّن مَّسَدٍ: مِمَّا يُفْتَلُ قَوِياً مِنَ الحِبَالِ

مدّ ٦ حركات لزوماً | مدّ ٢ أو ٤ أو ٦ جوازاً | إخفاء، ومواقع الغُنَّة (حركتان) | تفخيم
مدّ واجب ٤ أو ٥ حركات | مدّ حركتان | إدغام، وما لا يُلفَظ | قلقلة

الكافرون النصر المسد

سورة الإخلاص
ترتيبها ١١٢ — آياتها ٤

بِسْمِ ٱللَّهِ ٱلرَّحْمَٰنِ ٱلرَّحِيمِ

قُلْ هُوَ ٱللَّهُ أَحَدٌ ﴿١﴾ ٱللَّهُ ٱلصَّمَدُ ﴿٢﴾ لَمْ يَلِدْ
وَلَمْ يُولَدْ ﴿٣﴾ وَلَمْ يَكُن لَّهُۥ كُفُوًا أَحَدٌۢ ﴿٤﴾

سورة الفلق
ترتيبها ١١٣ — آياتها ٥

بِسْمِ ٱللَّهِ ٱلرَّحْمَٰنِ ٱلرَّحِيمِ

قُلْ أَعُوذُ بِرَبِّ ٱلْفَلَقِ ﴿١﴾ مِن شَرِّ مَا خَلَقَ ﴿٢﴾ وَمِن
شَرِّ غَاسِقٍ إِذَا وَقَبَ ﴿٣﴾ وَمِن شَرِّ ٱلنَّفَّٰثَٰتِ فِى
ٱلْعُقَدِ ﴿٤﴾ وَمِن شَرِّ حَاسِدٍ إِذَا حَسَدَ ﴿٥﴾

سورة الناس
ترتيبها ١١٤ — آياتها ٦

بِسْمِ ٱللَّهِ ٱلرَّحْمَٰنِ ٱلرَّحِيمِ

قُلْ أَعُوذُ بِرَبِّ ٱلنَّاسِ ﴿١﴾ مَلِكِ ٱلنَّاسِ ﴿٢﴾ إِلَٰهِ
ٱلنَّاسِ ﴿٣﴾ مِن شَرِّ ٱلْوَسْوَاسِ ٱلْخَنَّاسِ ﴿٤﴾ ٱلَّذِى
يُوَسْوِسُ فِى صُدُورِ ٱلنَّاسِ ﴿٥﴾
مِنَ ٱلْجِنَّةِ وَٱلنَّاسِ ﴿٦﴾

- **ٱللَّهُ ٱلصَّمَدُ**: هُوَ وَحْدَهُ الّذي يُقْصَدُ في الْحَوائج
- **كُفُوًا**: مُكافِئاً وَمُماثِلاً
- **أَعُوذُ**: أَعْتَصِمُ وأَسْتَجِيرُ
- **بِرَبِّ ٱلْفَلَقِ**: الصُّبْحِ . أو الخَلْقِ
- **شَرِّ غَاسِقٍ**: شَرِّ اللّيْلِ
- **وَقَبَ**: دَخَلَ ظَلامُهُ في كلِّ شيء
- **ٱلنَّفَّٰثَٰتِ**: السَّواحِرِ المُفْسِداتِ
- **ٱلْعُقَدِ**: مَا يَعْقِدْنَ مِنَ السِّحْرِ
- **أَعُوذُ**: أَعْتَصِمُ وأَسْتَجِيرُ
- **بِرَبِّ ٱلنَّاسِ**: مُرَبِّيهِمْ
- **مَلِكِ ٱلنَّاسِ**: مالِكِهِمْ
- **إِلَٰهِ ٱلنَّاسِ**: مَعْبُودِهِمْ
- **ٱلْوَسْوَاسِ**: المُوَسْوِسِ جِنِّيّاً أو إنْسِيّاً
- **ٱلْخَنَّاسِ**: المُتَوارِي المُخْتَفِي
- **ٱلْجِنَّةِ**: الْجِنِّ

مدّ ٦ حركات لزوماً — مدّ ٢ أو ٤ أو ٦ جوازاً	إخفاء ، ومواقع الغُنّة (حركتان)	تفخيم
مدّ واجب ٤ أو ٥ حركات — مدّ حركتان	إدغام ، وما لا يُلفَظ	قلقلة

يُمكنك الإستماع لهذه الصفحة النموذجيةَ وتجويدها من خلال هذا الـ QR

فقط بثلاثة ألوان رئيسية: الأحمر (بتدرجاته) لمواقع المدود، الأخضر لمواقع الغُنن،

الأزرق الغامق: للتفخيم، والأزرق الفاتح: للقلقلة، (بينما الرمادي لا يلفظ)؛

تُطبق أثناء التلاوة، التجويد بشكل عمليّ و مباشر. أما إذا رغبت بحفظ الأحكام ... فهي مشروحة في أخر صفحات هذا المصحف.

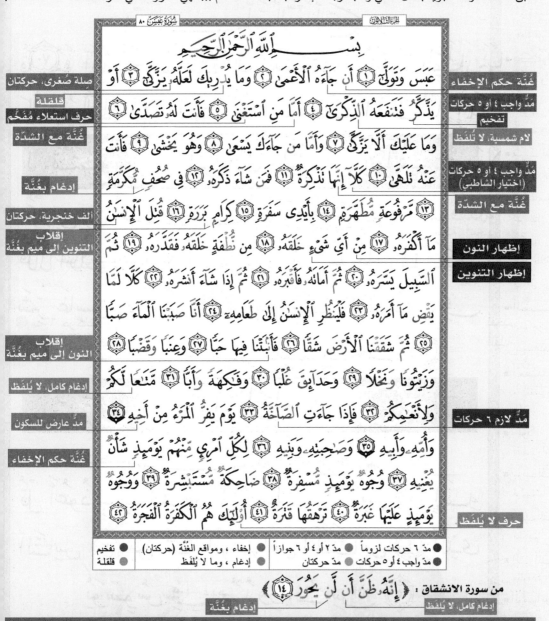

بِسۡمِ ٱللَّهِ ٱلرَّحۡمَٰنِ ٱلرَّحِيمِ

عَبَسَ وَتَوَلَّىٰٓ ﴿١﴾ أَن جَآءَهُ ٱلۡأَعۡمَىٰ ﴿٢﴾ وَمَا يُدۡرِيكَ لَعَلَّهُۥ يَزَّكَّىٰٓ ﴿٣﴾ أَوۡ
يَذَّكَّرُ فَتَنفَعَهُ ٱلذِّكۡرَىٰٓ ﴿٤﴾ أَمَّا مَنِ ٱسۡتَغۡنَىٰ ﴿٥﴾ فَأَنتَ لَهُۥ تَصَدَّىٰ ﴿٦﴾
وَمَا عَلَيۡكَ أَلَّا يَزَّكَّىٰ ﴿٧﴾ وَأَمَّا مَن جَآءَكَ يَسۡعَىٰ ﴿٨﴾ وَهُوَ يَخۡشَىٰ ﴿٩﴾ فَأَنتَ
عَنۡهُ تَلَهَّىٰ ﴿١٠﴾ كَلَّآ إِنَّهَا تَذۡكِرَةٞ ﴿١١﴾ فَمَن شَآءَ ذَكَرَهُۥ ﴿١٢﴾ فِي صُحُفٖ مُّكَرَّمَةٖ
﴿١٣﴾ مَّرۡفُوعَةٖ مُّطَهَّرَةِۭ ﴿١٤﴾ بِأَيۡدِي سَفَرَةٖ ﴿١٥﴾ كِرَامِۭ بَرَرَةٖ ﴿١٦﴾ قُتِلَ ٱلۡإِنسَٰنُ
مَآ أَكۡفَرَهُۥ ﴿١٧﴾ مِنۡ أَيِّ شَيۡءٍ خَلَقَهُۥ ﴿١٨﴾ مِن نُّطۡفَةٍ خَلَقَهُۥ فَقَدَّرَهُۥ ﴿١٩﴾ ثُمَّ
ٱلسَّبِيلَ يَسَّرَهُۥ ﴿٢٠﴾ ثُمَّ أَمَاتَهُۥ فَأَقۡبَرَهُۥ ﴿٢١﴾ ثُمَّ إِذَا شَآءَ أَنشَرَهُۥ ﴿٢٢﴾ كَلَّا لَمَّا
يَقۡضِ مَآ أَمَرَهُۥ ﴿٢٣﴾ فَلۡيَنظُرِ ٱلۡإِنسَٰنُ إِلَىٰ طَعَامِهِۦٓ ﴿٢٤﴾ أَنَّا صَبَبۡنَا ٱلۡمَآءَ صَبّٗا
﴿٢٥﴾ ثُمَّ شَقَقۡنَا ٱلۡأَرۡضَ شَقّٗا ﴿٢٦﴾ فَأَنۢبَتۡنَا فِيهَا حَبّٗا ﴿٢٧﴾ وَعِنَبٗا وَقَضۡبٗا ﴿٢٨﴾
وَزَيۡتُونٗا وَنَخۡلٗا ﴿٢٩﴾ وَحَدَآئِقَ غُلۡبٗا ﴿٣٠﴾ وَفَٰكِهَةٗ وَأَبّٗا ﴿٣١﴾ مَّتَٰعٗا لَّكُمۡ
وَلِأَنۡعَٰمِكُمۡ ﴿٣٢﴾ فَإِذَا جَآءَتِ ٱلصَّآخَّةُ ﴿٣٣﴾ يَوۡمَ يَفِرُّ ٱلۡمَرۡءُ مِنۡ أَخِيهِ ﴿٣٤﴾
وَأُمِّهِۦ وَأَبِيهِ ﴿٣٥﴾ وَصَٰحِبَتِهِۦ وَبَنِيهِ ﴿٣٦﴾ لِكُلِّ ٱمۡرِيٕٖ مِّنۡهُمۡ يَوۡمَئِذٖ شَأۡنٞ
يُغۡنِيهِ ﴿٣٧﴾ وُجُوهٞ يَوۡمَئِذٖ مُّسۡفِرَةٞ ﴿٣٨﴾ ضَاحِكَةٞ مُّسۡتَبۡشِرَةٞ ﴿٣٩﴾ وَوُجُوهٞ
يَوۡمَئِذٍ عَلَيۡهَا غَبَرَةٞ ﴿٤٠﴾ تَرۡهَقُهَا قَتَرَةٌ ﴿٤١﴾ أُوْلَٰٓئِكَ هُمُ ٱلۡكَفَرَةُ ٱلۡفَجَرَةُ ﴿٤٢﴾

غُنَّة حكم الإخفاء
مدٌّ واجب ٤ أو ٥ حركات
تفخيم
لام شمسية، لا تُلفظ
مدٌّ واجب ٤ أو ٥ حركات (اختيار الشاطبي)
غُنَّة مع الشدّة
إظهار النون
إظهار التنوين
مدٌّ لازم ٦ حركات
حرف لا يُلفَظ

صِلة صُغرى، حركتان
قلقلة
حرف استعلاء مُفخَّم
غُنَّة مع الشدّة
إدغام بغُنَّة
ألف خنجرية، حركتان
إقلاب التنوين إلى ميم بغُنَّة
إقلاب النون إلى ميم بغُنَّة
إدغام كامل، لا يُلفَظ
مدٌّ عارض للسكون
غُنَّة حكم الإخفاء

مدّ ٦ حركات لزوماً ● مدّ ٢ أو ٤ أو ٦ جوازاً	إخفاء، ومواقع الغُنَّة (حركتان)	تفخيم
مدّ واجب ٤ أو ٥ حركات ● مدّ حركتان	إدغام، وما لا يُلفظ	قلقلة

من سورة الانشقاق: ﴿إِنَّهُۥ ظَنَّ أَن لَّن يَحُورَ ﴿١٤﴾﴾

إدغام كامل، لا يُلفَظ — إدغام بغُنَّة

لكي يتفرغ ذهنك للمعنى: تعوّد على التوقّف بمكان الفراغ الوقفي عند بعض الكلمات، وذلك بتسكين الحرف الأخير من الكلمة (حيث تمّ حجز الحركة، بمربع صغير). أما إذا أردت عدم الإلتزام بهذا الوقف الاختياري، فتجاهل هذا المربع والحكم الناتج عن التوقف.

من سورة المطففين: ﴿خِتَٰمُهُۥ مِسۡكٞۚ وَفِي ذَٰلِكَ فَلۡيَتَنَافَسِ ٱلۡمُتَنَٰفِسُونَ ﴿٢٦﴾﴾

فراغ وقفي اختياري

علماً أن تفخيم حروف (خ، ص ، ض ، غ ، ط ، ق ، ظ) يكون في أعلى درجاته مع الفتحة تليها ألف، وفي أدنى درجاته مع الكسرة، وأنّ غنة الإخفاء الخضراء تكون مفخّمة إذا تلاها حرف استعلاء مفخّم بالأزرق الغامق.

نموذج لشرح الأحكام التجويدية في كامل مصحف التجويد (برواية حفص)
بثلاث فئات لونية فقط

تحقق ٢٨ حكماً تجويدياً: الحرف الأحمر : مَدّ ، الحرف الأخضر : غُنّة ،
الحرف الأزرق الغامق : تفخيم و الأزرق الفاتح : قلقلة ، بينما الرمادي : لا يُلفظ

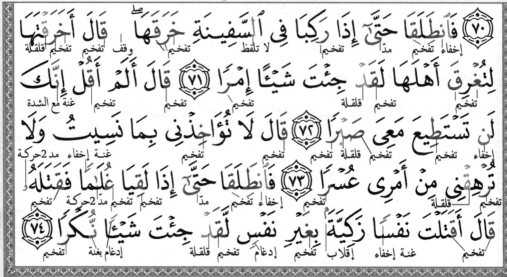

فَٱنطَلَقَا حَتَّىٰٓ إِذَا رَكِبَا فِى ٱلسَّفِينَةِ خَرَقَهَا ۖ قَالَ أَخَرَقْتَهَا ﴿٧٠﴾
قلقلة تفخيم تفخيم وقف تفخيم تفخيم لا تلفظ تفخيم مدّ تفخيم إخفاء

لِتُغْرِقَ أَهْلَهَا لَقَدْ جِئْتَ شَيْـًٔا إِمْرًا ﴿٧١﴾ قَالَ أَلَمْ أَقُلْ إِنَّكَ
تفخيم تفخيم قلقلة تفخيم تفخيم تفخيم غنة مع الشدة

لَن تَسْتَطِيعَ مَعِىَ صَبْرًا ﴿٧٢﴾ قَالَ لَا تُؤَاخِذْنِى بِمَا نَسِيتُ وَلَا
إخفاء تفخيم تفخيم قلقلة تفخيم تفخيم تفخيم تفخيم غنة إخفاء مد 2حركة

تُرْهِقْنِى مِنْ أَمْرِى عُسْرًا ﴿٧٣﴾ فَٱنطَلَقَا حَتَّىٰٓ إِذَا لَقِيَا غُلَٰمًا فَقَتَلَهُۥ
تفخيم قلقلة تفخيم مدّ إخفاء تفخيم تفخيم مدّ 2حركة تفخيم تفخيم

قَالَ أَقَتَلْتَ نَفْسًا زَكِيَّةًۢ بِغَيْرِ نَفْسٍ لَّقَدْ جِئْتَ شَيْـًٔا نُّكْرًا ﴿٧٤﴾
تفخيم غنة إخفاء إقلاب تفخيم إدغام تفخيم قلقلة إدغام بغنة تفخيم

مدّ ٦ حركات لزوماً ● مدّ ٢ أو ٤ أو ٦ جوازاً	● إخفاء ، ومواقع الغُنَّة (حركتان)	● تفخيم
مدّ واجب ٤ أو ٥ حركات ● مدّ حركتان	● إدغام ، وما لا يُلفَظ	● قلقلة

إنّ تفخيم حروف (خ ،ص ،ض ،غ ،ط ،ق ،ظ) الزرقاء يكون
في أعلى درجاته مع الفتحة تليها ألف وفي أدنى درجاته مع الكسرة

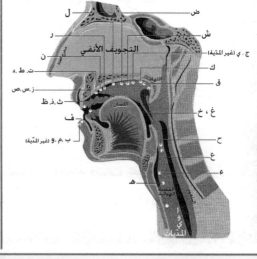

بثلاثة ألوان رئيسية (أحمر، أخضر، أزرق)
(بينما اللون الرمادي لا يُلفَظ)
تطبق ٢٨ حكماً

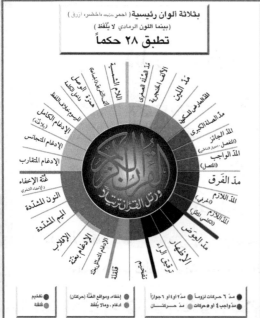

رسم توضيحي لمخارج الحروف

ض
ل
ر
ن
ك
ق
ف
ح
هـ

تعريف بهذا المصحف الشريف

بعون الله تعالى، وبعد سنواتٍ من الجهد المتواصل، أنجزت دار المعرفة هذا المصحف الشريف ليعين قارىء القرآن الكريم في التزامه بأحكام التجويد أثناء التلاوة، على مايوافق رواية حفص بن سليمان بن المغيرة الأسديّ الكوُفيّ لقراءة عاصم بن أبي النّجود الكوفيّ التابعي عن أبي عبد الرحمن عبد الله بن حبيب السُّلميّ عن عثمان بن عفَّان وعليّ بن أبي طالب وزيد بن ثابت وأبيّ بن كَعْب عن النبي محمد صلى الله عليه وآله وأصحابه وسلم.

وفيما يلي تعريف بالمنهج المعتَمد:

اللون الأحمر الغامق●: يرمز إلى مواضع المدّ اللازم، ويُمَد ست حركات لزوماً، ومقدار كل حركة نصف ثانية تقريباً. مثل: حَآجَّكَ - الٓمٓ.

اللون الأحمر القاني●: يرمز إلى مواضع المدّ الواجب، ويُمَد أربع أو خمس حركات ويشمل المد المتصل والمنفصل والصلة الكبرى (على طريقة الشاطبية).

مثل: ٱلْمَآء - يَٰٓأَيُّهَا - مَالَهُۥٓ أَخْلَدَهُۥ.

اللون الأحمر البرتقالي●: يرمز إلى مواضع المدّ الجائز، ويُمَد ٢ أو ٤ أو ٦ حركات جوازاً، ويشمل المد العارض للسكون والمد اللين،

مثل: عَظِيم - ٱلْأَلْبَٰب - لَيَقُولُون - خَوْف.

اللون الأحمر الكموني●: يرمز إلى بعض حالات المدّ الطبيعي ومدّ الصِّلَة الصغرى، ويختص بها ترك كتّاب المصاحف في الأصل رسمه في المصحف العثماني، وألحقه علماء الضبط فيما بعد، وقد ميّزناها بهذا اللون إشارة إلى وجوب مدّها حركتين.

مثل: بِقَدَرٍ - لَهُۥ تَصَدَّىٰ - يَسْتَحْيِۦ - دَاوُۥدَ.

اللون الأخضر ●: يرمز إلى موضع الغنّة، والغنّة صوت يخرج من الأنف، ومقدارها حركتان. ويشتمل هذا اللون على:

- الإدغام بغُنّة، مثل: مَن يَعۡمَلۡ - عَذَابًا مُّهِينًا. وقد لونّا الحرف المُدْغَم فيه لأن الغُنَّة عليه.
- الإخفاء، مثل: أَنتَ - عَلِيمًا قَدِيرًا. وقد لَونَّا هنا النون والتنوين لأن الغُنَّة عندهما.
- الإقلاب، مثل: مِنۢ بَعۡدُ - سَمِيعَۢا بَصِيرًا. وقد لَونَّا الميم المرسومة فوقه لأن الغُنَّة عليها.
- النون والميم المشددتان، مثل: إِنَّ - ثُمَّ.

ونشير إلى أن الغُنَّة مطلوبة دوماً إن كانت في كلمة مستقلة، أما إن كانت مرتبطة بما قبلها أو بعدها فهي مطلوبة حال الوصل فقط، على تفصيلٍ يُعْلَم من فن التجويد.

اللون الرمادي ● : يرمز إلى بعض ما لا يُلفَظ من حروف القرآن الكريم، وهو نوعان :

أولاً : مالا يُلفَظ مُطلَقاً : ١ - اللام الشمسية : ٱلشَّمۡس - ٱللَّغۡو.

٢ - المرسوم خلاف اللفظ : زَكَوٰةٍ - بَلَـٰٓؤُاْ - وَجِاْيٓءَ.

٣ - ألف التفريق : ٱذۡكُرُواْ.

٤ - همزة الوصل داخل الكلمة : وَٱلۡمُرۡسَلَٰتِ.

٥ - كرسي الألف الخنجرية : نَجَّىٰهُمۡ.

٦ - الإقلاب داخل الكلمة : فَأَنۢبَتۡنَا.

ثانياً : مالا يُلفَظ من الأحرف المُدغَمة والمُنْقلبة :

١ - النون والتنوين المُدْغَمان : مَن يَعۡمَلۡ - عَذَابًا مُّهِينًا.

٢ - النون المُنْقلبة ميماً : مِنۢ بَعۡدُ.

٣ - الحرف المُدْغَم إدغاماً متجانساً : أَثۡقَلَت دَّعَوَا - لَقَد تَّقَطَّعَ.

٤ - الحرف المُدْغَم إدغاماً متقارباً : قُل رَّبِّ - نَخۡلُقكُّم.

وأما ما يجوز لفظه حال الوصل أو الفصل مما سوى هذا فقد تركناه على حاله.

اللون الأزرق الغامق ● : يرمز إلى التفخيم : مثل : تَّقَطَّعَ - ٱذۡكُرُواْ

اللون الأزرق الفاتح ● : يرمز إلى موضع القلقلة على حروف :(ق، ط، ب، ج، د) الساكنة : مثل : أَوِ ٱدۡعُو.

أو المتحركة التي يوقف عليها عند رأس الآي : بِرَبِّ ٱلۡفَلَقِ ﴿١﴾

توضيح للمتخصصين في القراءة

١ ـ إن كثيراً من أحكام التجويد تتغير بحسب الوقف والابتداء، وإن علماء الضبط غير متفقين في مواضع الوقف الجائز والمطلوب واللازم فرشاً، واصطلاحاتهم في ضبط ذلك متفاوتة، وقد التزمت دار المعرفة حيال ذلك مااختاره سلفنا الصالح، من أن الوقف على رؤوس الآي كما رسمت في المصاحف سنّة متبعة ، وهو مايدل له حديث أم سلمة رضي الله عنها أنها سُئِلت عن قراءة رسول الله صلى الله عليه وآله وسلم فقالت : كان يقطع قراءته آية آية ، بسم الله الرحمن الرحيم ـ الحمد لله رب العالمين ـ الرحمن الرحيم ـ مالك يوم الدين . وقد أخرج هذا الحديث أبو داود في سننه في كتاب الحروف ، والترمذي في ثواب القرآن ، والإمام أحمد في مسنده جزء ٦ صفحة ٣٦ ، وهو اختيار البيهقي في شعب الإيمان .

وكان اختيارنا هذا أوفق لما جرى عليه نساخ المصاحف من الإشارة الى الإدغام والإقلاب والإخفاء في كل موضع في القرآن الكريم ، ولو كان ثمة وقف لازم ، كما في قوله سبحانه عَلَىٰ بَعۡضٖ مِّنۡهُم وذلك جرياً على قاعدتهم : وليس في القرآن من وقف وجب . واكتفينا بالإشارة إلى ما يمدُّ حال الوقف في رؤوس الآي وخواتيم السور .

هذا ، وإن الوقف على رؤوس الآي هو الأسهل للمتعلمين والأرفق بهم .

٢ ـ جعلنا المد اللازم كلَّهُ باللون الأحمر الغامق، بلا تمييز بين أنواعه ، لأن المدّ في جميعها واحد وهو ست حركات ،وجعلناه في اللازم الكلمي على الحرف الممدود ، وفي الحرفي على الحرف الذي يرمز إلى المدّ مع حركته .

٣ ـ جعلنا المد المتصل والمنفصل والصلة الكبرى بالأحمر القاني لوناً واحداً ، وهو اختيار الشاطبي ، فالمدّ واجب عنده في سائر هذه الأنواع ، وقد ورد القصر في المنفصل من طريق طيِّبة النشر ، ولكننا التزمنا طريق الشاطبية .

وأما عدد حركات المدّ فلم يرد عن الشاطبي نص في ذلك ، ولكن الرواة عنه قرؤوها بأربع حركات وقرؤوها بخمس .

٤ ـ اقتصرنا في الجائز ـ اللون الأحمر البرتقالي ـ على المدّ العارض للسكون والمدّ اللين ، وهو اختيار الشاطبي ، ولكن مبنى هذين المدين ، على السكون العارض ،

وهو يدور على اختيار القرّاء ، ولما تعذر ضبط ذلك والتزامه ، اكتفينا بالإشارة اليه عند أواخر الآي فقط ، حيث الوقف عليها سنة ، ولأن ذلك هو الأرفق بالمتعلم كما سبق بيانه ، وعلى القارىء أن يلاحظ قاعدة العارض للسكون واللين في المواضع التي تتحقق فيها في الآيات الطوال ، حيث يقف اضطراراً ، مما لم نثبته باللون **الأحمر** البرتقالي التزاماً بما قدمناه .

وكذلك تركنا تلوين غُنّة الإدغام والإقلاب والإخفاء إذا جاء ذلك بين سورتين أو آيتين وتركنا كذلك تلوين المدود التي التزمناها إذا جاءت بين آيتين .

٥ - ربما وردت الأحرف الصغيرة للدلالة على أحرف محذوفة لاتستلزم مدّاً ، مثل : لِّنُحْـِۧىَ . فقد جاءت للدلالة على ياء مكسورة ، فلم نُدْخِلها وأمثالها في اللون **الأحمر** القاني أو الكموني ،لأن مرادنا اقتصر على التذكير بما يلزم مدّه مما تركه النساخ .

٦ - اخترنا أن نلوّن حركتي التنوين معاً دفعاً للتشويش على القارىء ، علماً أن ذلك لايغير من حكم التنوين الأصلي في شيء .

٧ - تكون الغُنَّة في الإدغام على الحرف المُدغَم فيه ، وتكون في الإقلاب على الميم المرسومة فوقه ، وتكون على الميم والنون المشددتين حقيقة ، وهذا ظاهر ، ولكنها في الإخفاء تكون عند النون الساكنة أو التنوين ، وليس عليهما حقيقة ، فكان اجتهادنا في اختيار تذكير المتعلم بموضع الغُنّة ، أما تحقيق مخرجها فلا بد من العودة فيه إلى علماء القراءة كما أسلفنا .

٨ - أدخلنا في اللون الرمادي اللام الشمسية ، ومنها : ٱللَّغْوَ - ٱللَّهْوَ . وأمثالها ، وذلك على قاعدة اللام الشمسية ، وجرياً على مااختاره نُسّاخ المصاحف في لفظة : ٱلَّيْلَ .

٩ - أدخلنا في اللون الرمادي همزة الوصل داخل الكلمة ، إذ لا يصح لفظها بحال ، كما في : فَٱتَّبِعُوهُ - بِٱسْمِ - وَٱلضُّحَىٰ وكانت قاعدتنا في ذلك أن ماورد قبل همزة الوصل إن صح أن يوقف عليه مستقلاً - ولو مع الاستئناف اللاحق - فهي حينئذ همزة وصل مبتدئة ، كما في : فِى ٱلْأَرْضِ - أَوِ ٱدْعُوا .

وإن لم يمكن أن يوقف عليه مستقلًا فهي حينئذ همزة داخلية كما في: وَٱلْمُؤْمِنِينَ وَٱلْمُؤْمِنَاتِ .فلا يصح بحال أن تقف عند قوله: وَٱلْمُؤْمِنِينَ و... ثم تستأنف.

وبالجملة ، فكل همزة وصل التصقت بها أداة لا تنفصل عنها كالباء أو التاء أو الواو أو الفاء فهي حينئذ همزة داخلية لا تُلفظ بحال .

١٠ ـ أدخلنا في اللون الرمادي مارُسِم خلاف اللفظ ، وبذلك نكون قد تجاوزنا مشكلة كان يعاني منها المسلمون الأعاجم إذ يصادفهم المرسوم خلاف اللفظ في كلمات كثيرة ، وقد حافظنا بذلك على الرسم العثماني .

ولم نُدخِل في اللون الرمادي كرسي الهمزة سواء كان نبرة أو ألفاً أو واواً أو ياءً ، وإذا خالف الرسم القواعد الإملائية فإننا نُبقي كرسي الهمزة وفق الرسم القرآني بلا اعتبار للقاعدة الإملائية المحدثة مثل : ٱلْمَلَؤُا۟ .

أما إذا كانت الهمزة تُرسَم أصلاً بغير كرسي فإننا نجعل الكرسي حينئذ باللون الرمادي مثل : لَتَنُوٓأُ – ٱلضُّعَفَٰٓؤُا۟

١١ ـ أدخلنا في اللون الرمادي كرسي الألف الخنجرية للإشارة الى أنه لايُلفظ ، والحقيقة أن نُسّاخ المصاحف في الرسم العثماني قد حذفوا هذا الكرسي غالباً إلّا في مواضع محددة هي التي لوَّناها بالرمادي .

مثال ماحذفه النساخ : يَٰمُوسَىٰٓ – هَٰتَيْنِ .

مثال ماتركه النساخ : إِحْدَىٰهُمَا – نَجَّىٰهُم .

١٢ ـ أدخلنا في اللون الرمادي سائر الحروف المدغمة سواء أكان إدغاماً تاماً أم ناقصاً ، بغنة أم بغير غنة ، متجانساً أو متقارباً ، ولم نُدخِل المدغم إدغاماً متماثلاً ، دفعاً للتشويش على المتعلم ، وذلك أن قصدنا يتمثل في أن يَترك القارىء لفظ الحرف الرمادي ، وهذا متحقق وفق هذه القاعدة ، وغاية مايهم القارىء في المتماثلين أن ينطق بهما حرفاً واحداً مشدداً ، ولا يتغير الأمر بالنسبة للمتعلم سواء نطق بساكن ثم متحرك ، أو نطق بحرف مشدد ، وليس في القرآن متماثل في كلمة واحدة كتبه النُسّاخ بحرفين إلا ما سبق بيانه من أمر اللام الشمسية في مثل : ٱللَّغْوَ - ٱللَّهْوِ .

١٣ ـ أدخلنا في اللون الرمادي النون الساكنة المنقلبة ميماً ، مثل : مِنۢ بَعْدِ .

ولم نُدخِل التنوين لأن نُسّاخ المصاحف عالجوا ذلك أصلاً ، إذ حذفوا التنوين ، واكتفوا بحركة واحدة ، ورسموا ميماً صغيرة ، مثل : خَبِيرُۢ بِمَا .

١٤ - أدخلنا في اللون الأزرق الغامق : حرف اللام في لفظ الجلالة حينما تخضع للتفخيم بعد الفتحة أو الضمة؛ والراء المفخمة؛ وحروف الاستعلاء (خ ، ص ، ض ، غ ، ط ، ق ، ظ) علماً أن درجة التفخيم تكون في أعلى مستوياتها مع الفتحة، وفي أدناها مع الكسرة.

١٥ - أدخلنا في اللون الأزرق الفاتح حروف القلقلة في حالاتها الصغرى مثل : أَبْنَآءَ . وفي حالتها الكبرى عند الوقف عليها في رأس الآي (دون تلوين الحركة) عملاً بالفقرة (١) .

المنهج المستعمل بلغات العالم

المصطلح	مد ٦ حركات لزوماً	مد واجب ٤ أو ٥ حركات	مد ٢ أو ٤ أو ٦ جوازاً	مد ، حركتان	غُنّة ، حركتان	لايُلفَظ	تفخيم	القلقلة
إنكليزي	Necessary prolongation 6 vowels	Obligatory prolongation 4 or 5 vowels	Permissible prolongation 2,4,6 vowels	Normal prolongation 2 vowels	Nazalization (ghunnah) 2vowels	Un announced (silent)	Emphatic pronunciation	Unrest letters (Echoing Sound)
إفرنسي	Prolongation necessaire de 6 voyelles	Prolongation obligatoire de 4 ou 5 voyelles	Prolongation permise de 2,4 ou 6 voyelles	Prolongation normale de 2 voyelles	Nasalisation (ghunnah) de 2voyelles	Non prononcées	Emphase	Consonnes Emphatiques
روسي	ДОЛГОТА ПРОИЗНОШЕНИЯ 6 ЗВУКОВ НЕОБХОДИМО	ДОЛГОТА ПРОИЗНОШЕНИЯ 4 ИЛИ 5 ЗВУКОВ ОБЯЗАТЕЛЬНО	ДОЛГОТА ПРОИЗНОШЕНИЯ 2 ИЛИ 4 ИЛИ 6 ЗВУКОВ ВОЗМОЖНО	ДОЛГОТА ПРОИЗНОШЕНИЯ 2 ЗВУКА	ГОВОРИТЬ В НОС ДОЛГОТА ПРОИЗНОШЕНИЯ 2 ЗВУКА	НЕ ПРОИЗ-НОСИТСЯ	Эмфатическое произношение	ЭМФАТИЧЕСКИЕ СОГЛАСНЫЕ
إسباني	Prolongación necesaria 6 movimientos	Prolongación obligatoria 4-5 movimientos	Prolongación permitida 2, 4, 6 movimientos	Prolongación normal 2 movimientos	'Ijfa' con Ghunnah	Un silencio	fuerte	Qálqala
ألماني	6 Vokale langziehen , erforderlich	4 oder 5 Vokale lang-ziehen , obligatorisch	2,4, oder 6 vokale langziehen,zulässig	2 Vokale langziehen	2 Vokale näselnde Aussprache (durch die Nase sprechen)	Es wird nicht ausgesprochen	hervorhebende Aussprache	unruhender Buchstabe (Echo Klang)
أردو	٦ حرکتوں والی مدِلازم	۴یا۵حرکتوں والی مدِواجب	۲-۴ یا۶ حرکتوں والی اختیاری مد	۲حرکتوں والی مد	اخفااورغنہ کی جگہ (۲-حرکتیں)	ادغام اورنا قابل تلفظ	تفخیم	قلقلہ
فارسي	مد لازم ٦ حرکت	مدواجب ٤ یا ٥ حرکت	مد اختیاری ٢ یا ٤ یا ٦ حرکت	دو حرکت	اخفاء، غنّه دو حرکت	ادغام وغیر ملفوظ	تفخیم	قلقله
تركي	4 elif uzatmak vâcib	2 veya 4 elif uzatmak vâcib	1, 2, 3 veya 4 elif uzatmak caiz	Bir elif uzatıfır	İhfa ve Gunne yerleri	İdgam ve okunmayan harfler	Kalın	Kalkale
أندونيسي / ماليزي	MAD PANJANGNYA 6 HARAKAT (LAZIM)	MAD PANJANGNYA 4 – 5 HARAKAT (WAJIB)	MAD BOLEH MEMILIH ANTARA 2/4/6 HARAKAT	MAD 2 HARAKAT	MENDENGUNG (DUA HARAKAT)	TIDAK DI BACA	dibuca tebal	Qalqalah
صيني	必须拉长六拍	应该拉长四或五拍	可以拉长两拍或四拍或六拍	自然拉长两拍	鼻音、隐读（两拍）	并读、不发音的字母。	重读“拉吾”	爆破音

أشرف على تدوين أحكام الترتيل في بعض الأحرف الخاضعة لأحكام التجويد لجنة عليا من كبار العلماء قامت بجهود مضنية عدة سنوات لإنجاز هذا العمل المبارك وعلى الوجه الأكمل.

وصدرت موافقة وزارة الأوقاف - إدارة الإفتاء العام في الجمهورية العربية السورية - على طبع وتداول وتصدير هذا المصحف الشريف برقم ١٦٩(١٥/٤) تاريخ ٢٠٠٤/٩/١٦ م ، وكانت وزارة الإعلام قد وافقت على نشر وتداول مصحف التجويد برقم ١٨٩٥٢ تاريخ ١٩٩٤/٩/١٤ م وذلك بموجب كتاب المفتي العام جواباً لكتاب وزارة الإعلام رقم ١١٣٩ تاريخ ١٩٩٤/٤/٢٦ م وطلب المهندس صبحي طه المسجل برقم ٢٩٠ تاريخ ١٩٩٤/٦/٢٨ م.

وكذلك صدرت موافقة وزارة الأوقاف - إدارة الافتاء العام والتدريس الديني - المفتي العام في الجمهورية العربية السورية برقم ١٥/٤/٤٤٢ تاريخ ٢٠٠٧/١٢/١٢ على مصحف التجويد (الواضح)

وتجزي دار المعرفة تقديرها للدكتور محمد حبش الذي قام بتنفيذ هذا العمل الجليل، والشكر كذلك لفضيلة الشيخ كريم راجح ولفضيلة الشيخ محي الدين الكردي، وللأساتذة الدكاترة : محمد سعيد رمضان البوطي - وهبة الزحيلي - محمد عبد اللطيف الفرفور - محمد الزحيلي ، الذين دعموا العمل وتبنّوا فكرته وشجعوا تنفيذها .

والشكر الخالص من القلب للعلماء الأفاضل على مستوى العالم الإسلامي الذين باركوا العمل ورحّبوا به ، تسهيلاً لتلاوة القرآن الكريم كما أمر بها الله تعالى ﴿ ورتل القرآن ترتيلاً ﴾ .

والشكر الأسمى من قبل ذلك كله ومن بعده ، لله تعالى عزَّ وجَل الهادي والموفق في إنجاز هذا العمل المبارك .

والصلاة والسلام على أفضل خلق الله ، النبي الأمي محمد عليه أفضل الصلاة وأزكى السلام ، وعلى آله وصحبه الأخيار ، وعلى من اتبع هدى القرآن الى يوم يبعثون .

دار المعرفة - دمشق

أَحْكَامُ التَّجْوِيدِ مَعَ أَمثِلَة من مصحف التجويد

فقط بثلاثة ألوان رئيسية: الأحمر (بتدرجاته) لمواقع المدود، الأخضر لمواقع الغُنَن، الأزرق الغامق : للتفخيم ، والأزرق الفاتح للقلقلة ، (بينما الرمادي لا يُلفظ)

تُطبق أثناء التلاوة ٢٨ حكماً بشكل مباشر

الحكم		الأمثلة
اللّامُ الشَّمسِيَّةُ، وما لا يُلفَظ		ٱلشَّمۡسُ - ٱلدِّينِ - بِأَيۡيْدٖ - ٱلصَّلَوٰةِ
أَحْكَامُ النُّونِ السَّاكِنَةِ وَالتَّنْوِين		
الإِدْغَامُ الكَامِلُ (بِلَا غُنَّة)		مِن رَّبِّ - وَإِن لَّمۡ - أَخۡذَةٗ رَّابِيَةً - خَيۡرٞ لَّكُمۡ
الإِخْفَاء	غنة ٢ حركة	وَٱلۡمُنَٰفِقِينَ - مِن تَحۡتِهَا - ثَمَنٗا قَلِيلٗا
الإِدْغَام بِغُنَّة	٢ حركة	أَن يَكُونَ - تِجَٰرَةٞ وَلَا بَيۡعٞ - أَرۡبَعَةٗ مِّنَ
الإِقْلَاب		بِٱلۡجَنۢبِ - مِنۢ بَعۡدِ - بَغۡيَۢا بَيۡنَهُمۡ
الإِظْهَار		مِنۡهَا - عَنۡ عِبَادَتِهِۦ - وَهۡنًا عَلَىٰ
أَحْكَامُ المِيمِ السَّاكِنَة		
الإِدْغَامُ الشَّفَوِيّ		عَلَّمَكُم مَّا - فَمِنۡهُم مَّنۡ - يُخۡرِجُهُم مِّنَ
الإِخْفَاءُ الشَّفَوِيّ		وَأَيَّدَهُم بِرُوحٖ - رَبَّهُم بِٱلۡغَيۡبِ
الإِظْهَارُ الشَّفَوِيّ		وَلَهُمۡ عَلَيَّ - عَلَيۡهِمۡ وَلَا
أَحْكَامُ النُّونِ والمِيمِ المُشَدَّدَتَين		
النُّونُ المُشَدَّدَة	غنة ٢ حركة	جَنَّٰتِ - تَحۡسَبَنَّ
المِيمُ المُشَدَّدَة	غنة ٢ حركة	فَأَمَّا - سَمَّوهُمۡ - أُمِّهَا
أَحْكَامُ المُدُود		
مَدٌّ لَازِمٌ كَلِمِيٌّ مُثَقَّل	٦ حركات	تَحَٰٓضُّونَ - كَآفَّةً - أَتُحَٰٓجُّوٓنِّي
مَدٌّ لَازِمٌ كَلِمِيٌّ مُخَفَّف	٦ حركات	ءَآلۡـَٰٔنَ
مَدٌّ لَازِمٌ حَرْفِيٌّ مُثَقَّل	٦ حركات	الٓمٓر - الٓمٓ - طسٓمٓ
مَدٌّ لَازِمٌ حَرْفِيٌّ مُخَفَّف	٦ حركات	قٓ - نٓ - طسٓ
مَدُّ الفَرْق	٦ حركات	ءَآلذَّكَرَيۡنِ - ءَآللَّهُ - ءَآلۡـَٰٔنَ

مَدٌّ وَاجِبٌ مُتَّصِل ٤، ٥ حركات	وَٱلشُّهَدَآءِ - أُوْلَـٰٓئِكَ
مَدٌّ مُنْفَصِل (الشاطبية) ٤، ٥ حركات	مَاذَآ أُحِلَّ - بِمَآ أَرَىٰكَ - هَـٰٓأَنتُمْ
مَدٌّ صِلَةٍ كُبْرَى ٤، ٥ حركات	وَلَهُۥٓ أَسْلَمَ - ٱسْمُهُۥٓ أَحْمَدُ - هَـٰذِهِۦٓ أُمَّتُكُمْ
مَدٌّ عَارِضٌ لِلسُّكُون ٢، ٤، ٦ حركات	ٱلْحَكِيمِ ۝ - يُوزَعُونَ ۝
مَدُّ اللِّين ٢، ٤، ٦ حركات	عَيْنَيْنِ ۝ - وَٱلصَّيْفِ ۝ - خَوْفٍ ۝
مَدٌّ صِلَةٍ صُغْرَى، ومَدُّ الأَلِفِ الخِنجَرِيّة ٢ حركة	جَوْفِهِۦ وَمَا - وَرَسُولَهُۥ وَٱلدَّارَ - ٱلرَّحْمَـٰنِ
مَدُّ العِوَض ٢ حركة (تبقى الألف سوداء، وتُمدُّ بحركتين عند الوقف عوضاً عن التنوين المنصوب)	وَقَالَ صَوَابًا ۝
مَدُّ البَدَل ٢ حركة	ءَادَمَ - أُوتُوا۟ - إِيمَـٰنًا
إدغام المتجانسين والمتقاربين والمتماثلين	
إِدْغَامُ الْمُتَجَانِسَيْن	كِدتَّ - يَلْهَث ذَّٰلِكَ - قَالَت طَّآئِفَةٌ
إِدْغَامُ الْمُتَقَارِبَيْن	وَقُل رَّبِّ - نَخْلُقكُّم
إِدْغَامُ الْمُتَمَاثِلَيْن	بَل لَّا - ٱضْرِب بِّعَصَاكَ - أَتَوا۟ وَّيُحِبُّونَ
التَّفْخِيمُ والتَّرْقِيق	
تَفْخِيمُ الرَّاء	يُحْشَرُ - وَٱلْأَرْضِ - ٱلرَّسُولُ
تَرْقِيقُ الرَّاء	وَٱلْقَنَـٰطِيرِ - بِنَصْرِهِۦ - نَصِيرٍ
تَفْخِيمُ لَامِ لَفْظِ الجَلالَة	وَٱللَّهُ - إِنَّ ٱللَّهَ - رَسُولَ ٱللَّهِ
تَفْخِيمُ أَحْرُفِ الاسْتِعْلَاء (خ، ص، ض، غ، ط، ق، ظ)	خَآئِفًا - أَقْصَا - ضَلَّ - غَفْلَةٍ - وَأَطَعْنَا - قَالَ - ظَلَمْتُ
القَلْقَلَة	
حُرُوفُ القَلْقَلَة (ق، ط، ب، ج، د)	فَيُقْتَلْ - لِيُطْفِـُٔوا۟ - نَبْتَهِلْ - وَجْهِىَ - وَأَعْتَدْنَا

ملاحظة : عند الوقف، يجب أن يُعامل حرف المد الموجود قبل الحرف الأخير من الكلمة، معاملة المد الجائز العارض للسكون، ويتم كذلك قلقلة حروف (ق،ط،ب،ج،د) وتسكين حركتها من آخر الكلمة.
علماً أن صفات الحروف ومخارجها، لابدَّ من سماعها لتأديتها بشكل صحيح من خلال التلقي...
لأن هذا المصحف الشريف لا يغني عن التلقي.

IDENTIFICATION OF THIS NOBLE QUR'AN

With Allah's aid and after several years of assiduous labor, the publishing of this Noble Qur'an has been fulfilled in order to guide reciters how to intone it according to Ḥafṣ's narration from 'Âṣim, from 'uthmân, from 'Alee 'Ibn 'Abee Ṭalib, Zayd 'Ibn Thabit and 'Ubay 'Ibn Ka'b from Muḥammad's recitation.

The following is the pattern employed:

-The dark red colour ●: Indicates necessary prolongation, six vowels each of which is about half a second.

Example: حَآجَّكَ - الٓمٓ

-The blood red colour ●: Indicates obligatory prolongation, five vowels: it comprises nonstop prolongation, separate and major link.

Example: ٱلْمَآء - يَٰٓأَيُّهَا - مَالَهُۥٓ أَخْلَدَهُ

-The orange red colour ●: Indicates permissible prolongation, two or four or six vowels.
It pertains to vowelless consonants and soft prolongation.

Example: عَظِيم - ٱلْأَلْبَٰب - لَيَقُولُون - خَوْف

-The cumin red colour ●: Indicates certain cases or normal prolongation, it belongs to what scribes left in the Ottoman copy of the Holy Quran and it takes two vowels duration.

Example: بِقَٰدِرٍ - لَهُۥ تَصَدَّىٰ - يَسْتَحْيِۦ - دَاوُۥدَ

- The green colour ●: Indicates nasalization which is the sound that comes out of the nose; it continues as long as two vowels.
It comprises:

Nasalized contraction (Idgham bi ghunnah): مَن يَعْمَلْ - عَذَابًا مُّهِينًا
Disappearance (Ikhfa'a): أَنتَ - عَلِيمًا قَدِيرًا
Inversion (Iglab): مِنۢ بَعْدُ - سَمِيعًۢا بَصِيرًا
-Stressed -N- and -M-: إِنَّ - ثُمَّ

N.B: nasalization is always recommended if it is in a separate word; but if it is connected with what comes before or after, it is recommended only when there is non-stop.

-The gray colour ●: indicates what is unannounced

a. what is never pronounced:

1. The assimilated "L": ٱلشَّمْس - ٱللَّغْو
2. The incompatible: زَكَوٰة - بَلَغُوٓاْ - وَجِاْىٓءَ - يَدْعُواْ
3. The (alif) of discrimination: ٱذْكُرُواْ
4. The conjunctive hamza within a word: وَٱلْمُرْسَلَٰتِ
5. The position of the omitted alef: نَجْعَلُهُمْ
6. Inversion within a word: فَأَنۢبَتْنَا

b. Unpronounced contracted and inversed letters:

1. Contracted (n), (nunnation): مَن يَعْمَلْ - عَذَابًا مُّهِينًا
2. The (n) which is inverted into (m): مِنۢ بَعْدُ
3. The letter which is relatedly contracted: لَقَد تَّقَطَّعَ
4. The letter which is approximately contracted: قُل رَّبِّ

-The dark blue colour ●: indicates the emphatic pronunciation:

تَّقَطَّعَ - ٱذْكُرُواْ

-The blue colour ●: indicates the unrest letters - echoing sound on: (ق، ط، ب، ج، د) (qualquala) eg: ﴿١﴾ بِرَبِّ ٱلْفَلَقِ - أَوِ ٱدْعُو

بِسْمِ اللَّهِ الرَّحْمَٰنِ الرَّحِيمِ

إِنَّا نَحْنُ نَزَّلْنَا الذِّكْرَ وَإِنَّا لَهُ لَحَافِظُونَ

مصحف التجويد

فكرة إبداعية في خدمة كتاب الله تعالى

باستخدام اللون المُرَمَّز زمنيًا في تدوين الأحرف الخاضعة لأحكام التجويد

نموذج عن مراحل تدوين كلام الله تعالى عبر التاريخ

المرحلة الأولى : (رسم الكلمات فقط)

أمں ىحىب المصطر اذا دعاه وىكسف السوء وىحعلكم
حلفاء الأرص أءلـه مع الله فلىلا ما ىدكرون ٦٢

المرحلة الثانية : (الرسم + التشكيل)

أَمَّں ىُحِىبُ ٱلْمُصْطَرَّ إِدَا دَعَاهُ وَىَكْسِفُ ٱلسُّوٓءَ وَىَحْعَلُكُمْ
حُلَفَآءَ ٱلْأَرْصِ أَءِلَـٰهٌ مَّعَ ٱللَّهِ قَلِىلًا مَّا ىَدَكَّرُونَ ٦٢

المرحلة الثالثة : (الرسم + التشكيل + التنقيط)

أَمَّن يُجِيبُ ٱلْمُضْطَرَّ إِذَا دَعَاهُ وَيَكْشِفُ ٱلسُّوٓءَ وَيَجْعَلُكُمْ
خُلَفَآءَ ٱلْأَرْضِ أَءِلَـٰهٌ مَّعَ ٱللَّهِ ۚ قَلِيلًا مَّا تَذَكَّرُونَ ٦٢

الآن : (الرسم + التشكيل + التنقيط + التجويد)

أَمَّن يُجِيبُ ٱلْمُضْطَرَّ إِذَا دَعَاهُ وَيَكْشِفُ ٱلسُّوٓءَ وَيَجْعَلُكُمْ
خُلَفَآءَ ٱلْأَرْضِ ۗ أَءِلَـٰهٌ مَّعَ ٱللَّهِ ۚ قَلِيلًا مَّا تَذَكَّرُونَ ٦٢

دار المعرفة

مصحف التجويد (الواضح):

باستخدام ذات الرسم العثماني ... أمكننا توضيح جميع كلمات القرآن الكريم، بفصلها عن بعضها مع المحافظة على مواقعها في ذات الأسطر القرآنية، ممّا يجعلها واضحة، وتجنّب القارئ أي التباس في القراءة، وبالتالي تحقيق المعنى الصحيح لكلام الله تعالى:

مثال من مصحف التجويد (العادي):

٢٥ وَلَمْ أَدْرِ مَاحِسَابِيَهْ ٢٦ يَٰلَيْتَهَاكَانَتِ ٱلْقَاضِيَةَ ٢٧ مَآأَغْنَىٰ
عَنِّى مَالِيَهْ ٢٨ هَلَكَ عَنِّى سُلْطَٰنِيَهْ ٢٩ خُذُوهُ فَغُلُّوهُ ٣٠ ثُمَّ ٱلْجَحِيمَ

مثال من مصحف التجويد (الواضح):

٢٥ وَلَمْ أَدْرِ مَا حِسَابِيَهْ ٢٦ يَٰلَيْتَهَا كَانَتِ ٱلْقَاضِيَةَ ٢٧ مَآ أَغْنَىٰ
عَنِّى مَالِيَهْ ٢٨ هَلَكَ عَنِّى سُلْطَٰنِيَهْ ٢٩ خُذُوهُ فَغُلُّوهُ ٣٠ ثُمَّ ٱلْجَحِيمَ

بسم الله الرحمن الرحيم

الأزهر مجمع البحوث الاسلامية الادارة العامة للبحوث والتأليف والترجمة	AL-AZHAR ISLAMIC RESEARCH ACADEMY GENERAL DEPARTMENT For Research, Writing & Translation

السيد م/ صبحي طه - المدير العام - لدار المعرفة

سورية - دمشق

السلام عليكم ورحمة الله وبركاته ..... وبعد :

فإشارة إلى الطلب المقدم من سيادتكم بشأن فحص ومراجعة مصحف التجويد (دار المعرفة " ورتل القرا ن ترتيلا " وبعرض المصحف المذكور على لجنة مراجعة المصاحف ..

افادت الآتي :

- بفحص ومراجعة مصحف التجويد " ورتل القرآن ترتيلا " والخاص بدار المعرفة تبين أنه صحيح فى جوهر الرسم العثمانى وأن المنهج الذى اعتمدته الدار الناشرة قد طبق تطبيقا صحيحا وذلك بعد التثبت من الفقرات المدونة فى آخر المصحف والذى يبين فيها الناشر كل مايتعلق بتطبيق فكرة التلوين .

- لذا ترى اللجنة السماح بنشر مصحف التجويد " ورتل القران ترتيلا " الخاص بدار المعرفة وتداوله على ان تراع الدقة التامة فى عمليات الطبع والنشر حفاظا على كتاب الله من التحريف كما جاء بتقريرها بتاريخ ١٩٩٩/٩/١م والمعتمد من فضيلة الامين العام لمجمع البحوث الاسلامية بتاريخ ١٩٩٩/٩/٦م .

والسلام عليكم ورحمة الله وبركاته

١٤٢٠/٥/٢٨هـ
١٩٩٩/٩/٨م

مدير عام
البحوث والتأليف والترجمة

مجمع البحوث الإسلامية
الادارة العـــامة
للبحـوث والتـأليف والترجمـة

ISLAMIC ... GENERAL DEPARTMENT
Ror Research, Writting & Translation

« ادارة المصـــاحف »

نموذج رقم (٤)

تصريح بتـداول

رقم (٧٠) الصادر فى ١٤ / ٦ / ٢٠١٥م

الســـيد / مدير دار المعرفة السورية

الســلام عليـكم ورحمـــة الله وبركاته ــ وبعـــد :

تيسر « الأمانة العامة لمجمع البحوث الإسلامية » أن تفيـد سيادتكم بأنها قد وافقت على طلبكم الخاص بتداول العشر الأخير مع القرآن الكريم مقاس ١٧×٢٤م مجزأ (برواية حفص عن عاصم) المكتوب بالخط الكوفي المصري.... طبع مطبعة دار المعرفة السورية
وعلى جواز نشره فى حدود الكمية المصرح لكم بطبعها وقدرها (أربعون ألف) نسخة ،
وذلك بناء على تقرير لجنة فحص المصاحف الصادر بتاريخ ٨ / ٦ / ٢٠١٥م

علما بأن هذا التصريح خاضع للقانون رقم ١٠٢ لسنة ١٩٨٥ الخاص بطبـع وتداول المصـــاحف والأحاديث النبـوية الشريفة وكذلك قرار فضيلة الامام الاكبر شيخ الأزهر رقم ٤٧ لسنة ١٩٨٦ وقرار السيد وزير العدل رقم ١٦٣ لسنة ١٩٨٦ .

مع مراعاة الدقة التامة فى جمع وترتيب الصفحات والملازم والا ستضطر الادارة لسحب التصريح الذى يحمل هذا الرقم ومصادرة جميع النسخ اذا ظهر باحداها خـلل ما طبقا للقانون ســالف الذكر .

علما بأن هذا التصريح صالح لمـدة أقصاها خمس سنوات تمضى من تاريخه .

ومرافق لهذا التصريح نسخة من المصحف المشار اليه ختمت فى جميع صفحاتها بخاتم الادارة العامة للبحوث والتأليف والترجمة .

والســلام عليكم ورحمــة الله وبركاته ،،،

تحريرا فى ٢٢ / شعبان / ١٤٣٦ هـ
٩ / يونيه / ٢٠١٥م

مدير عـام
الادارة العامة للبحوث والتأليف والترجمة

يعتمد،،، الأمين العام
لمجمع البحوث الاسلامية

الأزهر
مجمع البحوث الإسلامية
الإدارة العامة للبحوث والتأليف والترجمة

تم بعون الله وتوفيقه مراجعة هذا المصحف الشريف على أمهات كتب القراءات والرسم والضبط والفواصل والوقف والتفسير.
تحت إشراف إدارة البحوث والتأليف والترجمة بمجمع البحوث الإسلامية بالأزهر الشريف بمعرفة لجنة مراجعة المصاحف برئاسة :

فضيلة الأستاذ الدكتور / أحمد عيسى المعصراوي
(رئيس لجنة المصحف وشيخ عموم المقارئ المصرية)
والشيخ / سيد على عبد المجيد عبد السميع - وكيلاً
والشيخ / حسن عبد النبى عبد الجواد عراقى - وكيلاً
وعضوية كل من

الشيخ / سلامة كامل جمعة	الشيخ / على سيد شرف
الدكتور / بشير أحمد دعبس	الشيخ / حسن عيسى حسن المعصراوى
الشيخ / محمد السيد عفيفي سلامة	الشيخ / أحمد زكى بدر الدين
الشيخ / محمد حسين سعد	الدكتور / عبد الكريم إبراهيم عوض صالح
الشيخ / صبرى رجب كريم	الشيخ / عبد الرحمن محمد كساب
الشيخ / أحمد خلف عبد الكريم	الشيخ / محمد مصطفى علوة
الشيخ / السيد محمد أحمد على	الشيخ / ياسر محمد أحمد الجندى

الجمهورية العربية السورية
وزارة الأوقاف
إدارة الإفتاء العام
والتدريس الديني
المفتي العام

بسم الله الرحمن الرحيم

الرقم: ج ٤٤ / ٤ / ١٥

إلى دار المعرفة بدمشق

إشارة لطلبكم المسجل لدينا تحت رقم /٢٣٢/و تاريخ ٢٠٠٧/٥/٣١م، والمتضمن بيـان الرأي في مصحف التجويد (الواضح)، تمَّ عرضه على اللجنة المختصة وتبيَّن أن خير ما يُقدِّم الإنسان من عمل في دنياه خدمة كتاب الله تعالى، وإنَّ عملكم هذا يستحقُّ الثنـاء والشكر، ولا يسعنا إلا الدعاء للقائمين على هذه الدار بالتوفيق والنجاح في أعمالهم، والله نسأل أن يجعل أعمالنا خالصة لوجهه الكريم.

دمشق في ٣ /١٢/ ١٤٢٨هـ الموافق لـ ١٢/ ١٢/ ٢٠٠٧م

المفتي العام
رئيس مجلس الإفتاء الأعلى
في الجمهورية العربية السورية

الجمهورية العربية السورية
وزارة الأوقاف
إدارة الإفتاء العام
والتدريس الديني

بسم الله الرحمن الرحيم

الرقم ٥٢ (١٥/٤)

السيد المهندس صبحي طه/ مديرعام دار المعرفة بدمشق

السلام عليكم ورحمة الله وبركاته ،

جوابا لكتابكم المسجل لدينا برقم ٨٢ / و تاريخ ٩ / ٤ / ٢٠٠٦م نفيدكم بأنه من الخير العميم أن يتدرب قارىء القرآن الكريم على أماكن الوقوف الصحيحة كي لا يقع في خطأ المعنى اذا لم يكن مكان وقوفه صحيحا ، لأن التجويد كما هو معروف هو الاتيان الصحيح لمخارج الحروف ولمواقع الوقوف .

ولما كان في الوقف أسباب تغير في الحكم التجويدي ، مما يتطلب دراية وخبرة ربما تشتت المعنى للقارئ اذا لم يكن قد اكتسبها بعد ، في حين أنها تريح القارئ وتعينه على اظهار المعنى وحسن التلاوة وتجنبه كل وقف لايليق معناه بجلال القرآن وعظمته .

لذا ، فاننا نرى أن اللجوء الى ماقمتم به من ترك مسافة قصيرة في أماكن الوقوف ومعالجة الحكم التجويدي عنده ، وبما تقتضيه المعاني حسبما ورد في المصاحف الرسمية المعتمدة .. المطبوعة منها والمسموعة ترتيلا .. وبحيث لاتشوّه من جمالية الخط النسخي للرسم العثماني ، انما هو عمل مبارك ومجيد ، ينصبّ في خدمة كتاب الله تعالى ، كأسلوب تعليمي لطبعات خاصة من مصحف التجويد (ورتل القرآن ترتيلا) يتدرب عليها طلبة العلم ، شريطة أن يتم المحافظة على الرسم العثماني لكلمات الله تعالى ومواقع الآيات كما وردت في مصحف التجويد (ورتل القرآن ترتيلا) ، وأن ينوّه في غلاف هذه الطبعات وفي كل صفحة منها بأن اسمها الاصطلاحي هو :(قراءة تعليمية بأماكن وقوف - مساعدة للتجويد) .

والله ولي التوفيق

دمشق في ٨ / ٣ / ١٤٢٧هـ
الموافق لـ ٦/٤/١٠ ٢٠٠٦م

مدير ادارة الافتاء العام
والتدريس الديني